ENFIM, CAPIVARAS

Também de Luisa Geisler:

Luzes de emergência se acenderão automaticamente
(Alfaguara, 2014)

De espaços abandonados
(Alfaguara, 2018)

ENFIM, CAPIVARAS

Luisa Geisler

O selo Seguinte pertence à Editora Schwarcz S.A.

Grafia atualizada segundo o Acordo Ortográfico da Língua Portuguesa de 1990, que entrou em vigor no Brasil em 2009.

CAPA E ILUSTRAÇÃO Deco Farkas
PREPARAÇÃO Fernanda Villa Nova
REVISÃO Renata Lopes Del Nero e Adriana Moreira Pedro

Dados Internacionais de Catalogação na Publicação (CIP)
(Câmara Brasileira do Livro, SP, Brasil)

Geisler, Luisa
Enfim, capivaras / Luisa Geisler. — 1ª ed. — São Paulo : Seguinte, 2019.

ISBN 978-85-5534-085-7

1. Ficção – Literatura juvenil I. Título.

19-26664 CDD-028.5

Índice para catálogo sistemático:
1. Ficção : Literatura juvenil 028.5

Iolanda Rodrigues Biode – Bibliotecária – CRB-8/10014

[2019]

EDITORA SCHWARCZ S.A.
Rua Bandeira Paulista, 702, cj. 32
04532-002 — São Paulo — SP
Telefone: (11) 3707-3500
www.seguinte.com.br
contato@seguinte.com.br

/editoraseguinte
@editoraseguinte
Editora Seguinte
editoraseguinteoficial

12 motivos pelos quais todos nós estamos indo à casa do Dênis

12. É um final de tarde de sexta-feira.

11. É a Chapada do Pytuna, de onde a maior cidade das redondezas, Brasília, fica a três horas de distância. De carro.

10. A gente está cansado. O Dênis vinha mentindo sobre várias coisas, qualquer coisa, desde que entramos na escola. De sua mãe só fazer compras em um supermercado de Brasília até o fato de o carro do pai ter um "hiperdroller". Um hiperdroller foi uma peça que inventamos para ver se o pegávamos na mentira. Então, enfim, ele admitiria que não é faixa preta em jiu-jítsu, que não jantou na casa do Faustão em Miami e que não sabe tudo sobre carros. Acontece que ele pagou para ver e praticamente improvisou uma peça de carro enquanto falava. "Todo carro a partir de 2000 tem que ter um hiperdroller", ele inventou na hora. Até hoje não revelamos que a peça não existe.

9. E na manhã daquele dia, entre um comentário de química e outro, Dênis disse que ganhou uma capivara. E a

gente nem tinha como argumentar, porque ninguém sabia tanto assim sobre capivaras, além do fato de elas serem hamsters gigantes que vivem perto da água. Ninguém podia pagar para ver com perguntas sobre ração ou peso. O único jeito de desafiá-lo era testemunhando a presença do animal.

8. Então decidimos visitar o Dênis. Com todos nós ali parados, encarando o mentiroso no ato, ele olharia descapivarado para jardins vazios e pediria desculpas. Assumiria que de fato roubou os óculos de sol do Léo; que não tinha visto todos os animes que a Nick conhecia, além de uns que eram "desconhecidos até pra ela"; que nunca tinha visitado Porto Alegre e a família e a rua da Vanessa. Também assumiria, finalmente, que o Zé Luís nunca tinha perdido a virgindade com uma prostituta de trinta reais.

7. Porque era isso ou ficar na frente do computador abrindo artigos aleatórios na Wikipédia, clicando e clicando e clicando em fatos.

6. Porque se você mora na Chapada do Pytuna, precisa tomar a iniciativa e *criar* a aventura.

5. Porque, apesar de não sermos os maiores amigos ou os piores inimigos, a gente é o que cada um de nós tem às

seis da tarde de uma sexta-feira no interior. Entre os trinta mil habitantes da cidade sempre quente e sempre ensolarada no meio do cerrado brasileiro, nós somos os top quatro cidadãos que a cidade pode oferecer. E o Dênis de merda.

4. Porque a gente mora perto — perto um do outro, perto da casa do Dênis.

3. Porque é uma situação em que saímos ganhando independente do resultado: se mentira ou se verdade. Porque a gente quer morar nessa realidade, em que podemos inventar uma história melhor, em que pessoas adotam capivaras do nada.

2. Porque a gente *quer* ver uma capivara de perto, fazer carinho e tudo o mais.

1. Porque, como nossas próprias mentiras, a gente quer que seja verdade.

VANESSA

por volta das seis horas

— Binho! — Léo repetiu.

É a terceira vez que ele grita na frente da casa. Eu tinha tentado bater umas palminhas sem graça enquanto Nick dava uns gritos meio fracos. Cruzo os braços, ainda sem entender muito. Por sorte, Zé Luís parece mais deslocado que eu. Desde que eu não seja a pessoa mais deslocada, está tudo bem. Ergo a cabeça.

A casa do Dênis é uma casa padrão da cidade. Simétrica, horizontal, funcional — uma caixa de sapatos com uma grade alta ao redor e uma cerca elétrica em sua extremidade. O cachorro de Binho é o único na frente da casa. Não sei por que chamam Dênis de Binho e não quis perguntar. O labrador chocolate dá saltos animados para Léo e Nick, mas latidos desconfiados para mim e Zé Luís. É claro que isso pode ser minha insegurança falando. Talvez o cachorro esteja fazendo festa pra todo mundo. Léo enfia a mão pela grade e acaricia a cabeça animada.

— Abre a porta, Toddy, abre a porta pra gente — ele diz.

Toddy mexe a cabeça de forma a conseguir lamber a mão de Léo. É a vez de Nick gritar:

— Cacete, Dênis da porra!

Zé Luís sorri, os olhos verdes diminuindo no processo. Sorrio de nervosismo. Nick e Léo estão abaixados no portão, fazendo festa para o cachorro. Não sei se "fazer festa" é uma expressão que se fala no cerrado mineiro. Fico mais quieta. Léo seca as mãos na calça jeans de seiscentos reais quando Dênis surge à porta da casa.

— Tarde — ele diz, abrindo o portão.

Resmungamos enquanto entramos. Até eu murmuro um "ficamos esperando um tempão...".

Paramos na frente da casa, Dênis sem nos convidar para entrar, Léo revirando o jardim cimentado. Boa parte do pátio está coberta por lajotas, algo que, como aprendi, é muito comum no cerrado mineiro. Árvores soltam folhas e fazem sujeira. Chão batido é só terra pra entrar na casa. Lajotas. Lajotas são a solução. Na casa do Dênis ainda há algumas orquídeas e uma hortinha de manjericão e salsinha. Tudo em vasos. Toddy cheira nossos pés.

— E aí? — diz Léo.

— E aí? — diz Dênis, franzindo a testa.

— Onde é que ela tá?

— Quê?

— A *capivara*.

Léo cruza os braços. Nick olha ao redor, esticando a cabeça para a parte de trás da casa e o varal. Ao ver Zé Luís sorrindo, sorrio de nervoso outra vez.

— Como assim? — diz Dênis.

— Meu Deus. — Nick suspira. — A capivara que você falou no intervalo. Hoje de manhã. A gente veio conhecer.

— Mas ninguém me avisou nada.

— A gente não achou que precisasse. A gente nunca avisa se vem visitar o Toddy.

— Vocês nunca vêm visitar o Toddy.

— A gente visitaria mais o Toddy se ele fosse uma capivara.

Dênis olha pro fundo da casa, franzindo os lábios, olha pra trás de nós e pra além de nós. Olha pra rua, inspira, expira. O cachorro senta ao seu lado enquanto Dênis descansa a mão sobre sua cabeça. Parecem uma dupla de policial e cachorro farejador de drogas em um aeroporto ou num daqueles filmes da *Sessão da Tarde*. Dênis baixa os olhos.

— Vocês não podem ver a Capi hoje — diz, e faz uma pausa, fungando. — A Capi... — continua encarando a distância — ... a Capi não está mais aqui.

Respondemos com murmúrios que se confundem. Talvez Nick tenha dito "O quê?", e Léo tenha dito "Mas do que você tá falando?", e Zé Luís tenha dito "Que bobagem!", e Léo tenha dito "Até peguei o carro!" — os comentários se misturam e se desencontram. Em resumo dizem todos a mesma coisa: *que porra era aquela?* Dênis inspira e expira outra vez.

— A Capi fugiu. É isso — diz, a voz de repente sobressaltada. — É isso. Isso, isso mesmo. Ela fugiu.

Reagimos outra vez com murmúrios desencontrados, que se prolongam. Léo começa a apontar as falhas lógicas no que já sabíamos que era mentira: "Como é que se perde uma capivara com uma grade dessas?", e Zé Luís pergunta "Mas capivara é um bicho muito rápido?", então Nick ergue as mãos e diz "Que conveniente, uma capivara fujona!". Enquanto falamos, Dênis se enfia na maçaroca de falas atropeladas com uma história de que abriram a garagem, o cachorro a assustou, ela escapou, tentaram ir atrás, mas ela se enfiou num matagal. As pessoas falam "matagal" aqui?

Mas a gente só precisa que o Dênis diga. Só diga uma vez pequerrucha que seja. Que diga logo que inventou a capivara pra se gabar mais uma vez.

— Se vocês quiserem — ele dá de ombros —, a gente pode até procurar por ela. É. É. A gente pode procurar.

— Oi? — a voz de Nick se destacou das outras.

— A gente pode procurar — Dênis diz com firmeza, dando a gravidade de uma bigorna a cada palavra: — A gente pode dar um pulo no *mato*, no *correguinho*, se vocês se atreverem com todo esse *calor* e *secura*. É, é, e tem os *mosquitos* também, cheios de *doença*. Além do mais, daqui a pouco fica *escuro*, mas se vocês quiserem ligar *pra cada um dos pais de vocês*, explicar que vão sair pra caçar uma capivara, que vão se enfiar no mato... E tem... Tem a Nessinha — ele aponta pra mim —, a Nessa que nem conhece a cidade.

Ele nos encara com intensidade, aquele olhar de coelho branco, de olhos vermelhos e pelo branquinho. Ele não é exatamente albino, mas tem os olhos vermelho-escuros, uma variação de castanho, a pele bem clara e o cabelo loiro, num tom que seria claro demais até pra um alemão da serra gaúcha. Mas o olhar dele era real. Umas bolas de argila molhada quase da cor da terra daqui, esse castanho avermelhado.

— Se vocês tiverem coragem de fazer isso, tudo bem. A gente pode procurar. Mas a essa altura ela já deve estar em Brasília.

— Vocês querem começar pelo correguinho? — Nick abre um sorriso largo.

A gente só precisa que o Binho pare de mentir. Mas ele deixa outra vez uma mentira pseudoaçucarada grudar no palito que formaria o algodão-doce de mentiras mais nojento da história. Então o doce sem consistência ou nutrição continuava existindo.

— Espera aí — diz Binho. — Vocês não precisam falar com seus pais? Deixo vocês usarem o telefone.

— Eu tenho celular.

Léo tira o Motorola V3 Black do bolso. É um celular que fede a dinheiro. Há um silêncio estranho entre as frases, o oposto da conversa sobreposta de antes.

— Não querem entrar e comer um pão de queijo, tomar um café?

— Binho — diz Nick —, você não disse que ela já devia estar em Brasília por agora? Vamos antes que ela chegue no Espírito Santo.

Nós entramos no carro de Léo, que tem dezesseis anos, como todos nós, mas é filho do dono de muita coisa na cidade — em especial, de uma fazenda de soja do tamanho de toda a área urbana de Porto Alegre. Eu nunca vi, mas é a única comparação que cabe na minha cabeça. Léo justifica ter que dirigir pelo fato de que precisa levar e buscar muita coisa da "cidade" pra "lavoura", uma distância de quase cem quilômetros. O irmão dele faz faculdade em Brasília, e não ia ser a irmã de quinze anos que dirigiria sozinha por aí, não é? Mas ele nunca foi parado numa blitz. E se for parado, já disse algumas vezes, é só mostrar a carteira de motorista do pai que todo mundo entende.

O carro é uma picape Strada Adventure recém-saída da fábrica. Já é o modelo do ano que vem, 2009. Por ter cabine dupla, todos nós sentamos dentro do carro. Ao ver Zé Luís sentar na frente, troco um olhar com Nick. Ele já tinha vindo sentado na frente da outra vez. Nick era a única pessoa que sabia. Quer dizer, Nick e Léo.

Nick, que tem menos quadril, fica entre mim e Dênis, os três sentados no banco de trás. Nick usa roupas meio punks e gosta de um visual andrógino. Usa calça com cinto de rebites, coturnos pretos, além de uma regata branca com uma gravata vermelha mal amarrada ao redor do pescoço. Cheira a lavanda e cigarro. Apesar de dizer que detesta, está parecendo a Avril Lavigne, exceto pelo cabelo curto, por um excesso de brincos na orelha e um piercing na sobrancelha. Nick equilibra o visual que manda todos à merda com sua extroversão, apresentando-se e puxando assunto. Ao contrário dos góticos e emos da moda, ela sorri muito e não tem medo de se expor. Foi por isso que ela se tornou a única coisa próxima de uma amizade que formei nesta cidade nos três poucos meses desde que cheguei aqui.

Dênis retorce as mãos. Léo e Zé Luís se viram do banco da frente, enquanto eu e Nick nos inclinamos para o lado. Fazemos uma pausa. Eles dão a partida.

— E agora? — pergunta Nick.

— E agora o quê? — Dênis olha pros lados.

— É o correguinho mesmo? — Léo olha para trás enquanto dirige.

— Talvez a gente possa começar pelo mais distante e ir voltando — diz Zé Luís. — A gente vai pro mato e vem voltando. Porque é mais provável que ela esteja no mato, né? Que nem o Dênis disse.

— Mas ela pode ter se perdido na cidade. — Léo olha para a frente enquanto dirige.

— Mas se tiver se perdido na cidade, vai continuar perdida — diz Zé Luís. — Se estiver no mato, cada minuto fica mais longe, mais escuro e tudo o mais.

— Vocês não vão ligar pros pais de vocês? — Dênis fala cada vez um pouco mais alto.

— Vão ser dez minutos — diz Léo.

Eu olho pro Léo, que olha pra Nick, que olha pro Dênis, enquanto Dênis olha pro Zé Luís, que olha pro Dênis.

— Acho que a cidade pode ser melhor mesmo — diz Nick.

— Nem pensar — discorda Zé Luís. — Mato.

— Correguinho — diz Léo. Notando meu olhar de confusão, ele completa: — Que é cidade.

— É... Acho que... mato? É — diz Dênis. — Mato, é. Pode ser mato.

Um empate. Nick e Léo querem procurar na cidade enquanto Zé Luís e Dênis preferem o mato, mais distante. O carro inteiro se volta pra mim, o que me faz corar.

— E se... — começo.

— Fala mais alto — diz Zé Luís.

— E se... a gente fosse pro mato, mas pela cidade? Sabe? Caso a gente... veja alguma coisa? Aí a gente vai olhando pela cidade? Mas vai mais pra fora?

— Gênia — diz Léo, e, sem esperar mais nada, dá partida no carro.

— Ouviu o ronco do hiperdroller? — brinca Zé Luís.

Dênis começa a perguntar das peças do carro de Léo e do modelo novo de 2009. Mais uma vez, a limpeza entre as frases. Dênis fala. Léo fala. Comenta a maciez do motor. Ping. Pong. Dênis fala. Léo fala. De fato é uma viagem suave.

Inspiro o cheiro de carro novo. Nick pega a palma da minha mão e dá um apertãozinho. Fico pensando na palavra "apertãozinho". É um apertão, mas zinho. Mas apesar de ser "ão" com "inho", um não cancela o outro, negativo e positivo. Não é um aperto. É um apertãozinho. Sorrio de nervoso e, ao sentir minha mão se afastar da outra, olho pela janela.

A cidade reflete suas casas padrão, como a do Dênis: simétricas, horizontais, funcionais. A cidade em si também é uma caixa de sapatos cercada. Mas, em vez de grades ao redor, há colinas e morros. A cidade fica no meio de um buraco, como se fosse a cratera de um meteoro. Essa metáfora é do Léo: pessoalmente acho que parece mais a parte de dentro de um vulcão. Fica muito quente, e não passa vento algum. Ao menos estamos na estação de chuvas, e a estação de chuvas é a melhor. Não sei como é a estação que não tem chuvas, mas me disseram que pelo menos agora tem alguma coisa de grama. Apesar do terreno. É o que me disseram. Pelo menos foi o que aprendi nesses três meses.

11 motivos pelos quais Zé Luís está junto nessa bagunça

11. Porque, por algum motivo, ele sempre está junto nessa bagunça. Por ser o Filho da Empregada, cargo oficial, sempre tem que ajudar. Ele ajuda a mãe a terminar mais rápido, a secar a louça, a dobrar a roupa. Ajudou com a mudança entre os apartamentos caros da família, ouvindo sobre como cada um custava dois milhões. Ele ajuda Léo com os deveres de casa desde suas primeiras dificuldades com frações.

10. Porque, quando a mãe dele saía com ele e Léo, sempre achavam que Zé Luís era o filho dos Statto, e Léo, o filho da empregada. Talvez por conta dos olhos verdes, o cabelo castanho-claro, cor "loiro sujo". Talvez fosse porque o pai dele era assim, apesar de não o ver com alguma frequência. Léo sempre teve um tom pardo que ele justificava e insistia ser "porque ficava muito tempo embaixo do sol", mesma desculpa que seus pais usavam. Ou seja, por ser confundido com Léo todo o tempo, Zé Luís sentia que tinham sido trocados no berço. Isso se o mundo fosse uma meritocracia. Mas a única maneira de viver a vida de Léo era ao lado dele. Como coadjuvante.

9. Porque foi a família Statto que arranjou a bolsa de estudos para ele. Zé Luís tinha uma dívida, a mãe sempre dizia.

8. Porque Zé Luís só parou de pensar que merecia trocar de lugar quando começou a se aproximar de Amanda. Quando ela começou a tomar formas adolescentes, mais redondas, ele percebeu. Um irmão não poderia se sentir assim em relação à irmã.

7. Porque foi a família Statto que deu roupas de marca que sobravam, sapatos, bonezinhos, cuecas. Zé Luís tinha uma dívida, a mãe sempre dizia.

6. Porque foi a família Statto que deu brinquedos "que eram só dar uma arrumadinha", cobertinhas que "estão feias, mas que ainda dão pra usar". Zé Luís tinha uma dívida, a mãe sempre dizia.

5. Porque tudo que tinha sido de Léo virava de Zé Luís em algum momento. Zé Luís tinha uma dívida, a mãe sempre dizia.

4. Exceto Amanda. Amanda nunca tinha sido de Léo, não como era de Zé Luís. Ela era dele, e ele era dela. E eles eram só deles dois.

3. Porque ele de fato gosta de Léo e quer que ele fique bem.

2. Até que veio a história que Dênis espalhou, da prostituta. Zé Luís contou a Léo, tinha que contar a Léo, que tinha transado. Com quem? Não importava. Tinha transado com uma menina. De fora, de longe, ninguém conhecia. Por algum motivo Léo tinha que contar a Dênis, perguntar se Dênis sabia com quem Zé Luís tinha perdido a virgindade. Dênis resolveu, decretou e espalhou que Zé Luís tinha perdido a virgindade com uma prostituta de trinta reais. Amanda soube. Amanda ficou furiosa. Jogou coisas nele. "Eu achava que tinha sido sua primeira", ela gritava. E tinha sido. E tinha sido.

1. E Dênis precisa admitir que é um mentiroso, se desculpar, esclarecer as coisas. Só assim a história da prostituta ia passar. Só assim as coisas com Amanda ficariam bem de novo.

ZÉ LUÍS

por volta das sete horas

Estamos no carro. Por mais que eu entenda que é uma cidade simples, gosto daqui. Gosto do jeito que as pessoas aqui se movem. Gosto de como preferem andar em fileira pra pegar uma sombra debaixo do toldo das lojas quando o sol do meio-dia arde. Gosto das senhoras que usam sombrinha pra se proteger. Gosto do cinema que só abre quatro dias por semana: ninguém precisa de um cinema por mais do que quatro dias. Gosto do terreno plano, da ideia da chapada em si: ninguém precisa subir ou descer. Gosto do carro de som que anuncia o preço de frutas, promoções em armazéns e os horários do cinema. Gosto deste carro de som que anuncia os obituários. Que estamos ouvindo agora. O carro está parado na nossa frente no sinal vermelho e anuncia:

A família Marques tristemente comunica a morte de Ernani Garcia Marques, pai, avô, irmão amado e amigo querido. Ele morreu de infarto aos setenta e dois anos na noite de ontem. O velório vai acontecer na Capela de São Patrício, seguido de enterro no Cemitério Público Municipal da Chapada do Pytuna no dia...

Nessa solta uma risada. Do lado de fora, vejo seu Edir, pai do Marcos e do Carlos e marido da dona Cláudia, pra quem minha mãe já fez faxinas no final de semana. Ponho a mão pra fora e grito pra cumprimentar. Os outros no carro que o conhecem (todos, exceto Nessa) gritam e o cumprimentam. Léo dá uma buzinada, e ele grita de volta.

— Como está sua mãe? — seu Edir pergunta para todos e ninguém no carro.

— Ótima! — diz Léo, pressionando o botão para abrir todas as janelas.

— Indo! — digo.

— Show! — diz Nick.

— Tá em Brasília! — diz Dênis, inclinando-se sobre Nick e Nessa.

O sinal fica verde, e enquanto o carro se move seu Edir grita de volta:

— Um abraço pra ela!

Gosto disso. As janelas continuam abertas e aproveito um pouco do ar quente que vem no rosto. O ar condicionado com cheiro artificial sai, enquanto o cheiro quente de poeira vermelha, pelo de cachorro, merda de cavalo, padaria, terra seca e sol entram. O carro está em silêncio. Aproveito.

— É assim em Porto Alegre também, Nessa? — pergunto.

Ela suspira. Olha pra baixo. Nessinha sempre olha pra baixo.

— Não... Só de vez em quando... Não é tão comum assim...

— Viu? — digo, sorrindo, e me viro pra frente. — Não sei por que seu irmão quer fazer faculdade em Brasília. Não sei por que qualquer um iria querer sair daqui.

— Porque não tem curso de agronomia aqui — diz Léo.

As ruas passam, ruas retas, organizadas e bem definidas. São poucas, outra vantagem. Não vamos longe, mas caminhar sob o sol pode ser difícil. Ouço Léo e Dênis conversarem sobre algum outro tema, sobre Dênis já ter tido outras duas capivaras de estimação.

— ... mas isso já faz uns anos... — continua Dênis.

— Quando foi isso que eu não soube? — Léo tenta forçar.

— Antes de a gente se mudar pra cá. Lá em Sagarana.

— Qualquer coisa pode acontecer em Sagarana — diz Léo, dirigindo. — Até menino com capivara de estimação.

— Isso — termina Dênis. — E meu pai gostava das bichinhas, quis recuperar aqui e...

Paramos no córrego da cidade, o apelidado rego do Penna, prefeito que resolveu fazê-lo. Numa cidade tão seca, ficou bonito, apesar de reto. É onde todas as pessoas vêm caminhar, conversar, socializar, tomar suco e ser saudáveis como um todo. Uma das barracas de açaí tem um pula-pula que você pode usar por seis reais cada dez minutos. Descemos e começamos a caminhar ao redor do "córrego". Paramos em uma perpendicular onde carros passam.

— É *corguinho* que fala?

Nessinha crava os olhos na placa eletrônica que manda parar. Uma mão vermelha.

— É... — diz Léo, que ficou para trás com ela. — Na verdade é córrego pequeno, correguinho. Mas a gente fala corguinho.

— Que nem aquele cachorro, o corgi — ri Vanessa —, mas pequeno. Corguinho.

— Eu já tive uns três corgis — diz Dênis.

— Como é que eu nunca conheci? — Nick dá uma risada.

— É que eles ficavam na fazenda... — Dênis olha pros lados e começa a atravessar a rua, cujo sinal ficou verde. — Lá em Sagarana...

Ele está à frente, mas Nick e eu nos apressamos para o seu lado.

— Que a gente também não conheceu — diz Nick. — Mais fácil conhecer os corgis da rainha que os seus.

Acho que o nome oficial do córrego é avenida Presidente Castelo Branco. Nem córrego é. É como se fosse uma passarela, mas fixa no chão. Com um lago que só recebe água de chuva e lixo e deságua no rio de Olaria.

— É parecido com a avenida Ipiranga, em Porto Alegre. — Nessa sorri.

— Mas tem lobo-guará? — Franzo a testa.

— Oi?

— Lobo-guará. Tem lobo-guará?

— Não... Acho que não.

— Uma vez teve um lobo-guará circulando por aqui. Foi notícia de jornal e tudo.

Em resumo: é só uma avenida para caminhada, com quilometragem e essas coisas, ao redor de uma espécie de barranco que dá num lago artificial. A água não corre de fato. Pelo clima, nunca tem muita água, então fica uma espécie de buraco reto com um fundinho de água. Nem eu consigo defender. É feio demais. Andamos. Olhamos o interior do córrego, à procura de qualquer animal.

— Capivaras, como patos, gostam de ficar perto da água — diz Dênis com pedantismo.

Mas não há patos ou capivaras, mal uns calangos. Já vimos frango, galinha, cachorros e um carro lá embaixo. Passamos por um pequizeiro de onde eu uma vez pulei e quebrei o braço. Passamos por dona Ieda, seu Ivo, tia Hilda, dona Teresa, dona Teresinha e tio Igor. Para cada uma dessas pessoas, Léo dá um pequeno contexto a Nessa. Ela faz que sim com a cabeça, enquanto ouve complementos dados pelo resto do grupo. Passamos pela família Morais, cujo patriarca trai a esposa com a travesti local. Mas Dênis ouviu que ele pegou sífilis do traveco. Nick reclama da palavra "traveco". Passamos pelo pula-pula, onde o seu Wesley, que aos sessenta anos largou a família por uma esposa trinta anos mais jovem, brinca com a filha mais nova, Manuela. Manuela é insuportável e claramente uma força do demônio, segundo a cunhada de Nick, que é professora na escolinha e ouve as fofocas. Caminhamos entre os gatos de rua, com os quais Nessa se encantou e parou pra brincar.

— Cuida a sarna — diz Léo.

Atravessamos outra rua perpendicular e um posto de gasolina, onde uns jovens se reúnem com suas picapes. Espero Léo dar o tom. Fico esperando. Ele não diz nada. Sussurro pra Nessinha:

— Esses a gente chama de agroboys.

Ela sorri. Filhos de fazendeiros com dinheiro e terra demais. Dinheiro todo da agricultura e da pecuária, no caso. Todos eles ainda têm uma mentalidade medieval: vão casar aos vinte anos com uma garota que seja uma boa esposa-acessório e herdar o reino do pai. Por terem destino marcado, por enquanto só enchem as picapes de caixas de som, sentam na caçamba, tomam Smirnoff Ice comprada diretamente do posto e conversam com garotas que usam saias minúsculas e salto finíssimo para ir ao posto de gasolina.

— ... Não que eu seja um desses. Meu irmão que é — diz Léo. — Mas eu sei. Já fui, já fui. Mas agora só sei.

De volta ao carro, dirigimos por um minuto e meio no terreno seco. Chegamos à praça central, com um monumento ao fundador da cidade: a estátua feita de cobre homenageia o primeiro grande fazendeiro da região, Carlos José Botelho Pinto. Nessinha ri do nome do homem grande e barbudo com as mãos na cintura e uma série de cestas com milho aos pés. Chamamos pela capivara.

— Capi — eu grito.

— Capi — chama Léo.

Além do monumento, a praça tem três bancos vazios com divisórias. Tem algumas mangueiras que às vezes machucam as pessoas. Tem o Rafito, o cachorro de rua de uns duzentos anos que pertence a todos os lojistas ao redor da praça.

— A gente nem precisava ter descido do carro — diz Léo enquanto Dênis se abaixa pra olhar sob um banco.

Seguimos a pé até a segunda praça da cidade, atravessando o centro. Vamos de uma sombra a outra, fugindo do sol que queima, indo pelas ruas que alternam entre farmácia, boteco, farmácia, um restaurante arrumadinho, uma loja da rede O Boticário, farmácia, uma agência dos Correios, um boteco, uma agência da Caixa, uma malharia, um boteco de coxinha, uma lotérica, e nosso próprio colégio.

— Capi, Capi, Capi, Capi — grita Dênis.

Quando se dá conta de que "capi, capi" também forma "cá pica pi", ele me chama pra gritar "cá pica pi" junto. Nick começa a dar apelidos para o bicho, como "capizinha" e "caipirinha" e "caipiroska". Antes que qualquer um se dê conta, estamos os cinco gritando palavras sem sentido no meio da praça principal. A única exceção é Nessinha, vermelha e em silêncio.

A segunda praça da cidade, localizada no centro de uma rotatória, também tem um monumento. Há três bancos, grama aparada e nenhuma árvore. No meio do verde, os bandeirantes se erguem com orgulho. Desbravadores do interior do país à procura de suas riquezas, como ouro, pedras preciosas e mão de obra escrava indígena. Depois, fazendas foram estabelecidas. Uma fazenda virou um distrito que virou um município em 1948. O município tem o registro da cerâmica mais antiga encontrada no Brasil fora da Amazônia, com três mil e seiscentos anos de idade. E foram esses heróis que a encontraram, fundando a cidade.

A Chapada do Pytuna é compacta. Vamos para o outro lado do centro da cidade, passando a rotatória. Paramos em uma sorveteria, cuja dona era paciente da mãe de Nick. Em dez minutos, cruzamos desde o correguinho, no extremo leste, até o centro comercial e a segunda praça.

Nick cutuca sua bola de chocolate com a pazinha de plástico.

— A gente ainda pode olhar a ponte.

— Onde é isso? — Nessinha encara o tubete em seu sorvete.

— Ela marca a entrada da cidade. — Nick mistura os sorvetes de chocolate e morango. — Cê viu quando entrou.

— Vi?

— Tem uma loja da John Deere do lado — diz Léo, sentado ao lado de Nessa.

— A John Deere eu vi — Nessinha quebra uma parte da casca do sorvete e come.

Léo e Nick contam sobre uma viagem que fizeram a Paracatu, de voltar de carro de madrugada, vomitando pela janela. Eu já ouvi essa história cinco vezes e interrompo quando esquecem detalhes importantes. Ao fundo, crianças choramingam por sorvete de chocolate para a mulher atrás do caixa. Ela é dona Eva, dona da sorveteria, viúva com um filho que só pode assumir que é gay para outros jovens. Ela conversa com a mãe das crianças, comentando sobre o clima, a secura, a estação. Faz calor. Faz sol. Um cheiro de queimado vem de algum lugar de fora, um pneu, um matagal, uma bituca de cigarro. Um vira-lata caramelo entra na loja, senta, coça atrás da orelha e deita no chão de porcelanato. Só depois de ver Nessa encarando o cachorro com a testa franzida que a atendente do balcão se apressa para correr com ele, ainda vestindo suas luvas e a touquinha. Léo retoma:

— ... Mas chegando em casa, foi aí que eu vi que meu pai estava acordado! — Ele se interrompe para rir, todos riem. — Minha mãe tinha mentido pra mim, acredita? — Ele ri mais. — Ainda por cima, ele estava com a cinta na mão. Agora, olha pra mim, eu já era grandalhão e tudo o mais, então vocês imaginem o meu pai... — Começou a rir e parou. Inspirou. — Meu pai... correndo atrás de mim... com a cinta na mão... — Voltou a rir. — Acordou a casa inteira! Até a empregada, até minha irmã...

— O jeito é ir pro mato então — digo.

— Oi? — Léo limpa uma lágrima de riso.

— A capivara e tal.

— Ah.

— Vocês não querem ir antes de escurecer?

A mesa se entreolha e depois se volta para Dênis. Desde a praça anterior, a única sugestão dele tinha sido a sorveteria. Dênis mistura restos de açaí com leite condensado e granola, agora só uma mistura pastosa arroxeada com traços espessos brancos e uvas-passas deixadas de lado.

— Não sei... — Ele mistura mais. — Não sei.

— Como assim? — digo.

— Vocês não ficaram tristes? Toda essa procura e... pra quê? Ela desapareceu, sabe.

— Você não pode desistir agora, Binho — digo.

Aquele filho da puta não podia desistir agora.

— Mas é que... Sei lá. Não faz sentido ir atrás.

— Binho — encaro o fundo de seus olhos castanho-avermelhados —, a gente vai achar a sua capivara. Nem que seja a última coisa que a gente faça.

Até mesmo meu corpo sente um arrepio com aquela frase. Sei que a mesa já está cansada. Que a adrenalina baixou. Que todos esperavam já estar em casa a essa hora. Que era mais uma tentativa que deu errado. Que Nick está morrendo de calor com os coturnos. Que Nessa nem avisou a mãe ou os avós que tinha saído. Que Léo sempre janta com a namorada às sextas e daqui a pouco ela vai estar preocupada. Que Dênis não esperava ter que ir tão longe.

— Vamos, gente. — Olho pra todos. — Só mais meia horinha, no máximo. Vamos dar um pulo na ponte, aposto que ela está na ponte.

— E se ela não estiver, o mato é logo do lado... — Nick diz.

— O mato do seu Jerônimo, só — digo.

— Só o mato do seu Jerônimo? — Léo faz careta.

— Uma hora.

— Uma hora e meia, no mínimo.

— Que seja.

Léo respira fundo, olhando para Nick, depois para mim.

— Ah, que se foda.

Nick empurra o pote de sorvete vazio para o centro da mesa. Eu levanto.

— Assim que se fala, Nick.

Nick levanta, seguida de Nessa, Léo e, depois de uma pausa meio resmungona e burlesca, Dênis deixa a cadeira pra trás.

— Acho que a gente devia pegar alguma coisa pra comer enquanto olha o mato do seu Jerônimo… — diz Léo, olhando para o sol que queima acima de nós, apesar da hora.

— O mercado do Japa é no caminho — digo.

— Cê conhece a pedra da goteira? — ele pergunta pra Nessa, que faz que não com a cabeça.

10 camadas de personalidade que Nick precisa esconder

10. Nick gosta de animes. Não *hentai*. Gosta dos que têm sangue e violência. Gosta de protagonistas esquisitas, de androginia, de personagens mais profundos do que tem na maioria dos filmes ou livros idiotas que precisa ler na escola. Na internet, em fóruns, discute com pessoas a respeito. Escreve fanfics e faz fanart. Faz coisas bonitas até, com Photoshop, Illustrator, softwares crackeados, várias pessoas elogiam seu DeviantArt. Gosta mais de colorir — preencher, ajeitar sombras, cuidar de tons — do que desenhar linhas — confinar cores. Mas quando tentou mostrar a Léo, seu melhor amigo, um episódio de *Chobits*, ele disse que era desenho de criança com um monte de gente pelada. Os outros tiveram reações parecidas. É só na internet que Nick pode gostar de anime, de garotas esquisitas, de androginia. E precisa esconder isso.

9. Nick se sente neutra. Apesar de ter menstruado, segue com formas retas, como uma foto que foi distorcida na vertical. Não que quisesse peitos, ou um pau, ou uma boceta, ou os dois. Talvez mais peitos. Peitos nunca fizeram mal a ninguém. Mas apesar de achar os próprios

peitos uma boa ideia, Nick só sente neutralidade. Já achou que era atraída por garotas, embora nunca tenha beijado nenhuma. Nick tinha certeza de que nenhuma garota da sua faixa etária na Chapada do Pytuna queria beijar outras garotas. E já achou que era atraída por garotos, mas beijar alguns não ajudou a ter certeza. Já achou que era atraída pelos dois e por nenhum. Ter dúvidas sobre sua orientação sexual parecia um pouco arrogante e coisa de gente de cidade grande. Ela às vezes acredita que tudo isso é só uma fase. E — independente da resposta, independente do que goste, o que ela não sabe — ela precisa esconder isso.

8. Muitas pessoas dizem que "tiveram medo dela" ao conhecê-la. Pela cara de má, pela maquiagem escura. Em resposta, Nick sorri e diz que é bobagem, que ela é uma completa bobona. Nick sabe que a cara séria espanta. E faz questão de socializar e quebrar essa imagem com quem se dispõe. Por mais que seja extrovertida — voltada para fora —, se sente mais introvertida — voltada pra dentro. Ela se sente uma silêncio-vertida. E precisa esconder isso.

7. Nick tem medo de cavalos a ponto de gritar. E precisa esconder isso.

6. Por ser filha única, Nick se sente mimada o suficiente. Um pouco de abuso verbal do pai, uns comentários do

tipo "sai vestida que nem homem retardado" ou "mas é uma vampira burra mesmo", uns comentários da mãe sobre "ficar socada no quarto que nem uma autista imbecil". Umas palmadas que deixavam roxo quando era menor. No entanto, o pai nunca deixou de lhe comprar as roupas e botas de homem e a mãe nunca lhe tirou a chave do quarto. Mas Nick os odeia. Não sabe por quê. Se soubesse por quê, ela os odiaria mais ainda. E precisa esconder isso.

5. Nick sempre fala, sempre agride, sempre invade antes. Antes que falem com ela, que a agridam ou que a invadam. E precisa esconder isso.

4. Nick detesta todas as escolhas de namorada que Léo já fez, que ou o traíam ou queriam o dinheiro da família. Mas quando apontava isso, Léo ficava sem falar com ela, a chamava de interesseira, de amiga ruim. Já tinham ficado seis meses sem se falar. E a nova namorada dele, além de o trair, também só queria saber do dinheiro. E Nick precisa esconder isso.

3. Nick sabe que Nessinha ficou com Léo uma vez. Sabe como ela gosta dele. Torce tanto para que fiquem juntos, como seus personagens de anime favoritos. Já tinha até feito uma fanart do casal: os dois abraçados sob o monumento da Supercuia, que descobriu on-line. É um mo-

numento com várias cuias grudadas umas nas outras, que também parece um monte de peitos, em Porto Alegre. Nick shippava LéoNessa mesmo. Mas Léo nunca tinha falado do acontecido com ela. E Nick precisa esconder isso.

2. Dois anos antes, Nick tentou se matar pateticamente. "Pateticamente" porque achou que Dramin, um remédio que lhe dava sonolência, poderia matar em overdose. Remédios para dormir *de fato* desativam o sistema nervoso e, por isso, são usados em suicídios e, por isso (e outros motivos), são vendidos com receita. Mas Nick tem mãe médica, cheia das amostras grátis que levava pra casa. Pateticamente, Nick dormiu por dezoito horas e acordou com a mãe a chamando de preguiçosa. E Nick precisa esconder isso.

1. E, para poder ser Nick, Nick precisa esconder Nick. Ela acha quase irônico que seu apelido, vindo de "Nicole", seja a mesma palavra para definir nomes de usuário. "Nicknames". Nick precisa ser um avatar de si mesma, com nome falso e tudo. E precisa esconder isso — todo esse "isso".

por volta das oito horas

Não que eu esteja prestando atenção na conversa que preenche o carro por dois segundos até chegarmos. Não que note muita diferença desde a última vez que estive no mercado do Japa (com o nome original de "Mercearia dos Souza"). Mas faz tempo que não presto tanta atenção a tudo ao meu redor.

— Eu achei que tudo fechava cedo por aqui — diz Nessinha, descendo do carro.

Sorrio.

— E fecha. Depois das seis, é quase terra sem lei — digo, e Nessa ri (nunca sei se de nervoso ou porque achou engraçado). — Mas o Japa sempre fica aberto até mais tarde nas sextas.

Tento explicar que não gosto de definir o lugar como "do Japa", até porque o dono é filho de imigrantes chineses. Tento explicar que gosto muito dali, porque é o mais próximo de gourmet que esta cidade pode ter. Não que eu queira coisas gourmet ou que seja metida. Mas há momentos em que você quer um tomate seco, uma massa Barilla em vez da comum. Pra ser honesta, "gourmet" pra esta cidade é basicamente um mercado normal em qualquer outro lugar. Além dos produtos comuns de armazém, tem alguns importados, como algas para sushi, azeite de oliva espanhol, macarrão para yakisoba, tahine, homus, feijão em lata, uns marshmallows japoneses recheados, hashis, erva de chimarrão, meio como a central dos estrangeiros. Por outro lado, só tem uma marca de absorvente. Não que a gente esteja aqui pelo gourmet, pelo gringo ou pelo absorvente.

As estantes acabam na altura do meu ombro, e o lugar é grande o suficiente para eu conseguir vê-lo inteiro em uma só olhada. Cada um de nós pega uma cestinha, com suas personalidades definidas pela junk food à escolha. Léo para na frente da seção de vinhos (que tem dois vinhos argentinos) e parece pensativo. Nessa taca uns salgados de padaria meio aleatoriamente em um pote plástico. Ao fundo, toca "Garota de Ipanema", eu acho. Caminho entre duas estantes de padaria e coloco um saco de pão de leite na cestinha. Enquanto me pergunto por quê, vejo Dênis comprar todos os sabores de Doritos, Cheetos e Ruffles, salgadinho Torcida (mas só sabores bacon e queijo), Baconzitos, pacotes de Trakinas, bolinhos Ana Maria, bombons Amor Carioca, balinhas de goma, muitos pacotes de balinha de goma, uma barra de Hershey's branco com cookies, Coca-Cola e uma garrafa de Cachaça de Cana Grande. Zé Luís para ao lado de Léo e pousa uma cestinha com cervejas Itaipava e Red Bull no chão. Minha cestinha contém um saco de pão, um bolo pronto e um fardo de Skol. Nessa tem coxinhas e pasteizinhos apertados em dois potes. Ao final, Léo escolhe levar duas vodcas saborizadas de uva, pega a cestinha deixada por Zé Luís e se dirige ao caixa. Ergo os olhos para o grupo enquanto nos reunimos.

— Eu tô de fora de alguma coisa? Tem algum outro encontro secreto?

— Achei que a gente podia fazer uma jantona — diz Dênis.

— Depois que a gente achar a Capi.

— É. Isso que eu quis dizer. Depois de achar a Capi.

— Entendi.

— Ou... — Léo começa a colocar os produtos na única esteira para pagar — ... estender a noite, sei lá.

A filha do dono do armazém, Melissa, estuda no terceiro ano na nossa escola. Trocamos oi enquanto ela passa os salgadinhos.

— Achei que você ia ver a sua namorada hoje — digo pro Léo, os bipes do caixa ao fundo.

— Ela pode vir junto.

Léo começa a colocar os itens das outras cestas no caixa pra passar junto. Nessinha começa a tirar algumas notas da bolsa, mas afasto a mão dela. Faço que não com a cabeça. Ela guarda o dinheiro.

Enquanto soma os valores das cervejas em uma calculadora, Melissa ergue os olhos. Léo retribui o olhar. Ela volta a somar o valor da vodca e da cachaça.

— Essa cachaça não é muito boa, não — digo para o Dênis. — É mais uma marca pelo nome, a piada, cana grande e tal.

— Conheço o dono — diz ele. — Não fala assim.

— Dênis, aqui diz que o negócio é feito em São Paulo...

— Caralho, Nicole. Eu disse que conheço o cara. Já fui na destilaria e tudo.

— Tá bem, tá bem.

— Parece que não posso dizer nada que vocês precisam de cinco vias assinadas da história... — Os resmungos dele se dissipam.

Depois de colocar tudo na conta do seu Statto e assinar o comprovante, Léo carrega a maioria das sacolas de volta para o carro. Por ser uma picape, deixamos as sacolas conosco na cabine, entre nossos pés e colos. Começo a reclamar que compramos comida demais. Zé Luís me olha feio.

— O que sobrar a gente leva pra casa, caceta. Por que você tá tão resmungona?

Olho pela janela enquanto Léo segue para fora do perímetro urbano da cidade (se é que temos isso). O perímetro urbano passa muito rápido, já que nunca foi exatamente urbano. O embalo do carro me dá sono, porque dormir é a melhor coisa do mundo. Vozes ao fundo discutem qualquer coisa. O carro para e segue. Por ser verão, ainda vai demorar pra escurecer, embora o céu esteja ganhando tons alaranjados que sempre ficam feios numa foto. São muito feios. Tons que só podem ser vistos ao vivo.

Começo a prestar atenção quando noto que o carro não para, em vez disso segue sem parar em uma direção. Estamos quase chegando no mato do seu Jerônimo, é o que acho pela vista. É um matagal cheio de mosquitos e essas merdas. E se a capivara não está na puta que pariu, ela está ali. Acho que já vi uma árvore parecida com essa uma vez. Ou um formigueiro. Tem muitos formigueiros nas estradas daqui.

— Você não perdeu a entrada? — ouço a voz de Zé Luís.

— Eu sei aonde eu tô indo.

Começo a cantar mentalmente a música de abertura de *Sailor Moon* porque vi uma estrela. Mas a discussão continua.

— Confia no Léo — diz Nessinha.

— Fica quieta, gaúcha — diz Dênis.

Há vozes que respondem o que ele disse, e eu inspiro para não bater nesse garoto de merda. Mas a discussão que prevalece, a discussão para a qual Dênis volta, era se Léo tinha perdido a entrada. Porque a entrada era bem mais perto, porque iam ter que fazer uma volta até quase a BR, porque pelo lado que estavam seguindo só poderia dar numa parte que ele não conhecia tanto por causa de...

As cores do céu. Essas ainda me dão arrepio.

Quando eu tinha uns doze anos, se um garoto me dava oi no corredor, eu já estava planejando nosso casamento. Já sabia as madrinhas de cor e queria casar de All Star. Tudo meio tosco, não? Mas, hoje, se alguém me fala "Nossa, você é perfeita, eu morreria por você. De verdade, morreria por você!", fico meio: *aham, tá bom, boa noite*. Nada me dá arrepio mais.

Acho estranho que não tenha muitas outras fontes de luz. Exceto as cores do céu que só ficam bem ao vivo. Quando eu era pequena, eu fazia pedidos para as estrelas para ficar igual à Sailor Marte. Ou pras estrelas ou pra lua. Mal sabia que de fato acabaria com um corpo que parece boneco palito, como um personagem de anime. Meu estômago ronca ao mesmo tempo que bocejo, o que gera uma espécie de arroto.

— Saúde — diz Zé Luís.

Uma série de piadas sobre ser porco se segue, cada um querendo superar a piada anterior.

— Mas, falando sério — interrompo —, dormir é a melhor coisa que tem. Depois de comer.

— Ah — diz Zé Luís —, se eu pudesse comer enquanto durmo…

— Inventaram uma coisa assim no Japão, sabia? — diz Dênis. — Ou na China, sei lá.

Nós rimos.

— Léo — digo —, você tá meio quieto.

— Aham — diz ele.

— Tá tudo bem aí?

— Aham.

Suspiro. A estrada à frente está escura — as lâmpadas nos postes são quebradas por vândalos com frequência. Ou isso ou a prefeitura não troca e bota a culpa nos vândalos que nem têm uma lâmpada pra quebrar em paz. Isso quando tem um poste. Após disfarçar outro bocejo, digo:

— Coloquem em ordem: sexo, comida e dormir. Ordem de preferência. Vamos lá.

Dênis abre um sorriso e diz:

— Sexo, dormir depois do sexo e dar várias comidas numas minas.

Zé Luís o olha feio quando diz:

— Comer, sexo e dormir — diz, ainda olhando feio. — Dá pra dormir quando você morrer. Dormir é uma perda de tempo.

O silêncio do carro parece brilhar como um holofote para Vanessa. Ela cora e me encara nos olhos:

— Dormir, comer e... sexo? Eu acho? — Ela solta um risinho. — Sexo dá trabalho, né? Cansa... Quase um exercício.

Olho pela janela e não vejo muitos carros ou ônibus. Talvez o Dênis tenha razão e a gente esteja num ponto esquisito, mas a frase "talvez o Dênis tenha razão" me dá nos nervos, e Zé Luís e Dênis fazem piadas sobre Nessinha, sugerindo que ela ainda seja virgem, que mulheres "nem fazem tanto esforço assim" no sexo. Eu me pergunto por que estamos ali, por que eu sequer comecei o assunto. Pessoalmente, duvido que Dênis já tenha feito sexo. Eu tinha minhas suspeitas com Zé Luís, e o boato da prostituta faria sentido com ele. Léo se faz presente pelo silêncio. Léo, o único no carro que tenho certeza que já experimentou comer, dormir e transar.

— Léo? — chamo.

— Oi? — Ele segue adiante na estrada de asfalto, entrando numa área meio de chão batido.

— E você? Transar, dormir ou comer?

— É. — Ele dá uma risadinha. — Também acho.

Eu me inclino para a frente, tentando enxergar o que ele está vendo. O cheiro de terra fresca e vermelha entra pelo carro. Coloco a mão no ombro dele.

— Léo.

Ele vira o rosto para trás.

— O que é que foi, Ni...

Antes de ele terminar meu nome, um baque.

Para.

Bato a cabeça no teto.

— Porra — grito.

Léo já desceu do carro quando abro os olhos.

Todo mundo desce.

Achei que fosse um cachorro. Uma ovelha. Isso. Uma ovelha caída. Caminho no sentido do bicho caído de lado. É grande. Tem muito pelo. É preto e marrom. Nessa está ao meu lado enquanto Zé Luís e Dênis esperam perto do carro com faróis ligados. Léo já está do outro lado do cachorro gigante de focinho engraçado. Nessinha me olha. Tento parecer segura, mas não consigo evitar uma careta. Paro ao lado do bicho, que fede a cachorro molhado.

— Que porra é...? — Paro quando entendo.

Nunca tinha visto um tamanduá na vida. Nunca achei que fosse ver. É o tipo de bicho que você vê no dinheiro. O tipo de bicho que você conhece uma versão de desenho animado, mais do que a versão real. Tipo um daqueles cachorros adaptados, com olhos grandes para serem fofinhos, umas cabeças desproporcionais. Já viu um cachorro real? Não são como os da televisão. Você já viu um tamanduá ao vivo?

Tem uma nota de dinheiro com um tamanduá? Deveria ter.

Léo se abaixa, e paro onde estou. O bicho mexe as quatro patas. À nossa esquerda, só mato. Estamos na estrada. À direita, mais mato.

— Não tá morto. — Léo dá de ombros.

Nessinha corre de volta pro carro e, antes que eu possa xingá-la pela covardia, retorna com seu casaco.

— Não deve ser bom encostar nele, né? — diz ela.

Nessinha para ao lado de Léo, colocando o casaco sobre o animal. Eu me aproximo, mas me afasto em seguida. Nessinha cobre a lateral peluda, tentando empurrar aquilo pra cima, fazer o bicho levantar. Ainda numa distância segura, digo:

— Ele não tá machucado? — Dou uma olhada de perto. — Será que a gente parou a tempo? — Observo o esforço de Nessinha. — Quanto será que esse bicho pesa? Eu não sei se... Não sei se é uma boa ideia.

Fico quieta. Léo, ainda agachado, começa a empurrar o animal pra levantar também.

— Será que a gente não devia... levar num veterinário?

O tamanduá levanta, dá uns passos para a frente, em linha reta. Nessinha recolhe o casaco e Léo passa o braço sobre seu ombro. O animal começa a andar com todo o vagar do mundo pro outro lado da estrada.

— Por que o tamanduá atravessou a rua? — Léo sorri.

Nós trocamos aplausos e vivas. Dênis abriu um pacote de Cheetos sabor requeijão e está comendo. O tom de amarelo volta a cobrir tudo com um ar pacífico.

— Tem certeza que você não perdeu um tamanduá em vez de uma capivara, Binho? — brinca Zé Luís.

Nós rimos. Dênis abre a boca cheia de salgadinhos:

— Onde você bateu nele?

— Vou saber? — diz Léo.

— Porque ele saiu andando bem...

— Graças a Deus.

— Então cê pode ter acertado o focinho.

— E?

— Se acertou o focinho, ele não morre agora. — Dênis já terminou de comer o Cheetos e agora vira o pacote para os farelos caírem na boca, e fala de boca cheia: — Mas vai morrer de fome, sabia?

— Oi?

— Porque não vai ter como pegar formiga e tal.

— Você não tá falando sério.

— Tô falando sério.

— Porra, Binho. A gente podia ter levado no veterinário, por que cê não avisou?

— Porque vocês já saíram aí se metendo a levantar o bicho, não sei o quê...

Léo bufa.

— Acho que tá na hora de ir pra casa.

— Espera — diz Nessa. — A gente não vai resgatar o tamanduá?

— Resgatar o quê? — digo. — A gente sai pra catar uma capivara e quando vê tá cagando com a vida de outro bicho da fauna brasileira. Deixa pra lá.

— "Outro bicho da fauna brasileira..." — Léo diz, rindo. Dou um tapa no braço dele. — É. Agora deu. Vai escurecer e tudo o mais. Deixa.

Dênis amassa o pacote de salgadinho e joga no mato.

— Não! — diz ele. — Poxa, a gente veio até aqui pegar minha capivara. Agora não.

Léo já está dentro do carro.

— Pode procurar sozinho — ele grita.

Voltamos correndo, ainda sob os resmungos de Dênis.

Sentamos.

Fechamos as portas.

Colocamos os cintos de segurança.

Olhamos para a estrada vazia à frente. Olho pros lados. Não tem muitos postes. O carro é a grande fonte de luz. Talvez Léo tenha mesmo perdido a entrada. Ele está com a chave na ignição e tenta ligar o carro. E eu não sei vocabulário de carro.

Mas o carro tosse.

Não liga.

Faz aquele barulho de tosse e não pega.

— Vocês tão de brincadeira comigo — Léo diz, batendo no volante.

Também bate a porta quando sai pra abrir o capô.

A luz da porta aberta nos iluminou enquanto nos entreolhamos, apertando os lábios. Zé Luís sai pra olhar o motor, seguido de Dênis, enquanto Nessa e eu ficamos, ainda com cinto de segurança. Jogo a cabeça pra trás no encosto do banco.

— Era só o que faltava.

Ela joga a cabeça para trás no banco também.

— Isso não tá indo como eu achei que ia ir.

Eu rio e me lembro de uma legenda mal traduzida que li uma vez.

— Os eventos... não estão se desdobrando... nos conformes.

— Nosso plano já era — diz Nessinha.

— Qualquer plano já era — digo, esticando a cabeça para tentar ver atrás do capô.

Destravo o cinto, Nessinha também. Saio pra encontrar os três ao redor do motor, olhando uma fumaça sair. Dênis e Zé Luís parecem opinar sobre qual é o problema: um apontando para onde a fumaça sai, o outro apontando para uma série de cabos. Eles falam.

— Olha... — Léo diz. — Eu já disse que não vou sair metendo a mão aí. Levar um choque, vai saber. — Que merda...

Ele fecha o capô com outra batida forte. Onde houve o impacto com o tamanduá, perto do farol, há um amassado profundo.

— Que bosta... — Léo inclina o corpo sobre o capô.

Tento animá-lo.

— Isso aí deve ser problema no hiperdroller — digo.

Zé Luís e Léo riem. Dênis fica em silêncio, franzindo a testa.

Eu tinha esquecido.

Zé Luís olha para Dênis.

— O quê? Não vai inventar outra peça de carro agora?

Dênis franze mais a testa, o que resulta numa aparência de areia atravessada por um brinquedo de praia. Linhas em curvas iguais no branco.

— O quê?

— Ué — diz Léo. — Sua merda de hiperdroller. Não quer olhar no carro aí?

— Mas o hiperdroller é um equipamento pra controle de...

— Cala a boca, Binho — diz Léo. — Só cala a boca.

Olho para dentro do carro. Nessinha está sentada, ainda sem o cinto de segurança, mexendo no casaco sujo.

— A gente sabe que essa capivara é mentira. — Zé Luís começa a voltar pro carro. Léo o segue. — Porque hiperdroller é mentira. Porque você tá mentindo a porra do tempo todo.

Eles ficam em silêncio quando voltam a entrar no carro. Léo enfia a mão em uma das sacolas e abre uma lata de Skol.

— A gente sabe que você mente pra caralho, Binho — diz Zé Luís, que cata uma cerveja também. — E só queria pagar pra ver.

— Com um plano imbecil — diz Léo. — Porque a gente é imbecil.

— Porque a gente é imbecil — repete Zé Luís, e abre a cerveja.

— Eu não sei do que vocês tão falando. — Dênis olha para os lados.

— Ah, puta que te pariu, Dênis. — Léo se vira no banco do motorista, quase derrubando a cerveja. — Até a Nessa sabe.

Nessinha faz que sim com a cabeça, franzindo a testa.

— A Capi é real — diz Dênis. — Olha, sei que muita história minha é esquisita, mas... é real, sim.

Zé Luís e Léo entram numa batalha de quem consegue ofender mais o Dênis no menor tempo possível, com xingamentos, debulhando cada vez que Dênis disse que a mãe estava em Brasília falando com o presidente, apontando a vez em que disse que conhecia o irmão do Renato Russo... e eu me junto a eles, com irritação, o carro inteiro cheirando a tamanduá e estrume e fazenda e grama, e menciono a vez em que Dênis disse que tinha perdido a virgindade aos onze anos, e vem o cheiro de equipamento de fazenda e ferro e ferrugem e aço e alumínio e alguma coisa de lavanda impregnada, mas depois falou que tinha perdido aos doze, e era sempre uma menina de fora, em um festival, nunca alguém que a gente conhecia, e a estrada vazia e silenciosa cada vez mais escura, a gente falando cada vez mais alto, com certeza gritando tanto que até o tamanduá de focinho quebrado ouvia no meio do mato, lembrando a vez em que Dênis foi ao banheiro e voltou dizendo que tinha encontrado o Chitão do Chitãozinho & Xororó, imagina, o Chitão no meio da Chapada do Pytuna, mijando ao seu lado ainda por cima, e o Dênis contando, insistindo que eles iam fazer show na cidade e tinham vindo conhecer a cena, e ainda insistindo que o Chitão era pauzudo, e depois até mostrou um cartaz falando do show dos dois, e a gente lembrando da vez em que ele disse que tinha tido todas as raças de cachorro que existiam exceto husky siberiano, até que Léo tira o celular do bolso.

— Vou ligar pra minha mãe.

As 9 pessoas com quem Léo está mais preocupado, dadas as circunstâncias, em ordem de menor para maior importância

9. Dênis. O Dênis que se foda. Mas que não morra, pra que ninguém seja acusado de homicídio. Mas Léo quer se vingar dele depois, por ser um merda tão merda.

8. Seu pai. Seu pai vai matá-lo ao saber que um carro recém-comprado já está com problemas e possivelmente precisa ir para manutenção. Cancelaria a mesada de Léo e, dependendo do dano (do custo do conserto), tiraria o carro de Léo por algum tempo. Além disso, o patriarca dos Statto sempre teve apenas dois sentimentos possíveis: raiva ou gol do Cruzeiro. A raiva geralmente era expressada com violência. Quebrar o carro não era exatamente um gol do Cruzeiro.

7. Carlinhos. Carlinhos era o auxiliar da fazenda, para quem ele dava carona ao final de alguns dias de trabalho. Se Léo não pudesse mais dirigir, o pobre Carlinhos precisaria caminhar sozinho à noite.

6. Zé Luís. Zé Luís já tinha aguentado sua parcela de bobagens de Léo. Já tinha aguentado os vômitos, as corridas no meio da madrugada, as bagunças no quarto dele. Zé Luís não precisava daquilo na sua vida. Zé Luís era um puta amigo. Alguém com quem Léo sentia que podia contar, mais do que com seu irmão de sangue. E não podia deixá-lo na mão.

5. Sua mãe. Sua mãe não sabe onde ele está e, portanto, deve estar furiosa com a falta de notícias. Léo capotou seu primeiro carro uma vez, saindo ileso, mas resolveu chamar a polícia e esperá-la vir buscá-lo enquanto se aquecia com o motor quente do carro. Ao ficar sóbrio, percebeu todos os problemas que geraria com aquela ideia e chegou em casa a pé, machucado. Antes disso, sua mãe já se preocupava exageradamente. O ocorrido só alimentou sua necessidade de controle. Ele não gostava de deixá-la ansiosa e, por mais que soubesse que a mãe era virada em neuroses, não gostava de fazê-la sofrer por isso. Nick sempre dizia que era doentio se responsabilizar pela maneira como fazia a mãe se sentir. Era ela quem tinha um problema de ansiedade, não ele. Ele sempre se sentia culpado mesmo assim.

4. Nick. Nick e Léo tinham uma relação complicada, como todas as relações antigas acabam ficando. Ele a conhecia o suficiente para que um olhar dissesse em quan-

tos pedacinhos ela iria fatiá-lo, e com qual tipo de areia ela lubrificaria um poste para enfiar em seu cu. Parecia agressivo, mas Nick falava do poste com areia no cu com alguma frequência. Devia ser algo dos desenhos japoneses de que ela gostava. Mas ela conhecia Léo melhor do que qualquer um ali. O bem-estar de Nick era importante pra ele.

3. Carolina. Carolina era namorada de Léo e devia estar puta. Ela já estava puta antes mesmo de ele ter saído, então imagine agora. Eles jantavam juntos às sextas e iam ao cinema. Era um dos poucos dias da semana em que o cinema abria. Carolina tinha animação, energia, sempre tinha algo para celebrar, sempre pedia para tomarem champanhe. Sempre era um mesversário de namoro, uma nota boa na escola, um fim de algo, começo de outra coisa, ela sabia curtir a parte boa. Léo sabia que teria várias chamadas não atendidas assim que abrisse o celular. Não queria arruinar a noite. Precisavam sair dali.

2. Gouda. Gouda era a yorkshire que Léo levava para passear antes de escurecer. Ela não fazia xixi dentro de casa. Ficava ansiosa, sofria, choramingando. E todos já tinham aceitado que era uma responsabilidade de Léo fazer isso. Se Léo não podia, Zé Luís a levava para dar uma volta. Mas os dois estavam ali, e a cadela deve ter

sofrido. Até notarem que ele se atrasou e que provavelmente não tinha levado Gouda na rua, a bexiga dela já teria explodido.

1. Nessinha. Por ser Nessa.

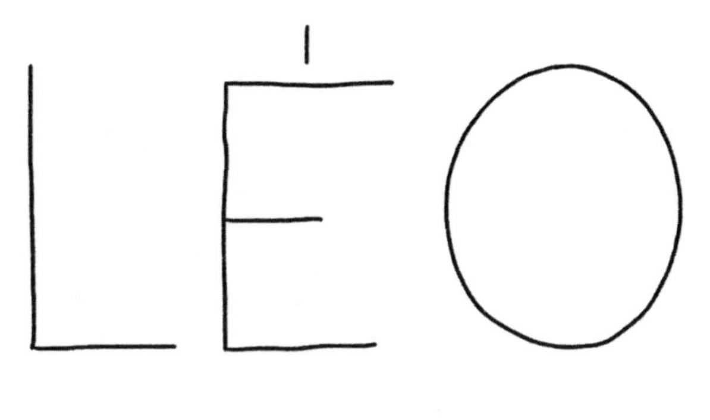

por volta das nove horas

Abro o celular. O ruim de ter um celular caro é que ele faz a mesma coisa que um celular barato, um Nokia 1100 bagaceiro. Fecho o celular.

— Não tem sinal.

Por mais que eu queira me sentir descolado fechando um celular flip com uma mão só, o gesto é muito tosco. Pra variar, sempre pareço tosco. Mando uma mensagem de texto pra minha mãe, meu pai, Gabriel e Amanda. Se alguma chegar, já é uma vitória.

Os quatro estão ao redor do carro. Zé Luís abriu o capô de novo. Vanessa parece meio encolhida ao lado de Nick. Nick sempre fica pairando sobre ela, como se fosse um abutre. Todos ficam em silêncio e nem se viram para mim quando falo:

— Ninguém mais tem celular, né? — Olho para o chão durante o silêncio deles, caso alguém precisasse pensar. Ninguém responde. Murmuro: — Tá bem, tá bem, não pergunto mais... Às vezes alguém pegou o da mãe emprestado...

— Ninguém achou que ia precisar de um celular, seu imbecil — responde Nick. — A gente achou que ia ver uma capivara ou zoar o Dênis e ir jantar.

— Sem noção — resmunga Zé Luís. Começa a usar uma voz de falsete pra me imitar: — Você não trouxe um helicóptero? Emprestado da mãe? Não? Não custava perguntar...

Reviro o porta-luvas, ofereço o manual (ninguém quer). Acho uma camisinha, além de um pacote de Halls. Guardo os dois no bolso. Vasculho o chão da parte de trás, acho umas lanternas junto das sacolas de porcarias.

— Você não tem uns equipamentos aí? Uma chave de fenda já me ajudava — diz Zé Luís.

Acho um kit de primeiros socorros esmagado embaixo de um banco. Alcanço as lanternas pra Zé Luís. Contorno o carro. Subo na caçamba. Só tem umas pás, uns sacos de fertilizante. Dou uns chutes na poeira do carro. O problema de ter uma picape é que ela faz a mesma coisa que um fusca qualquer. Quando quebra, quebra. Apoio os braços na cabine do carro e olho para cima. O céu tinha acabado de escurecer. Não olhei pras estrelas. Não gosto de papo de estrelas. Nick, Zé Luís e Dênis olham o interior do carro, tentam entender o que houve. Como um carro que deveria aguentar todo tipo de coisa não aguentou isso?

— Deve ser um problema simples — ouço Binho falar. — Quer dizer, só alguma coisinha que desencaixou...

— E você vai pôr a mão ali pra encaixar de volta? — ri Zé Luís.

Fico parado. Uso as barras de apoio na lateral da cabine e subo em cima dela. Ao lado de Nick, Nessinha me acompanha com os olhos, atrás da capota. É alto. Fico ali parado. Ergo o celular aberto. Sem sinal. Olho para o topo das árvores. Quem sabe alguma luz, alguma coisa? Fico balançando o celular de um lado pro outro.

— Tá achando que tá num show? — diz Nessa, agora do lado da cabine, me olhando.

Ouvi-la falar tão alto me faz sorrir.

— Sobe aqui — digo.

— Eu não — diz ela.

— Vem — digo. — Eu tenho medo de descer sozinho.

— Até parece — ela ri.

Eu gosto do jeito que ela ri.

— Vem. Me traz um Pingo d'Ouro.

— Não tem Pingo d'Ouro.

— Como não? Eu peguei.

Ela me mostra um pacote vazio.

— ... E a gente comeu.

— Agora você precisa subir aqui. — Ela dá de ombros. — Por favor? — Ela finge se virar para olhar o motor com Nick e Zé Luís, que parecem discutir. Não consigo ver Dênis. Eu me viro para ela. — Eu vou morrer de fome. Por favor.

Ela me olha. Estica o corpo para dentro da cabine do carona e começa a revirar as sacolas. Ela sai com um pacote de amendoim.

— Acho que vou comer sozinha.

— Só sobe na caçamba então — digo. Ela olha para a caçamba. — Aí você me alcança.

Quando ela se aproxima da caçamba do carro, dou aplausos silenciosos. Sei que Nick já deve ter notado o sumiço do filhotinho e logo a abutrinha vai vir tentar fazer o que sempre faz, que é me separar de tudo que eu gosto. Nessinha está ajoelhada e anda de quatro na caçamba.

— Vai sujar os joelhos — digo.

— Mas não vou morrer.

— Você não vai morrer se ficar em pé.

— Claro — diz ela.

Ela anda até a cabine e fica em pé. Ela se segura nas duas barras laterais, parece um lixeiro grudado a um caminhão em movimento. Estendo a mão.

— O amendoim.

Depois de olhar para os lados, ela estende o pacote de amendoim torrado. Seguro não o pacote, mas o punho dela.

— Sobe — digo.

— Para de me mandar subir — ela diz.

— Mas vem.

— Não.

— Por favor — digo.

Ela abre a mão e deixa o salgadinho cair no chão.

— Me solta. — Ela começa a fazer força para trás, e sinto seu punho e seu corpo um pouco trêmulos.

— Nessinha.

— Me deixa ir.

Ela usa o peso do corpo para fazer força, apesar de ainda ter o outro braço na barra da cabine. Ela é pequena, em mais de um sentido. Mas forte, também em mais de um sentido. Puxa mais um pouco. Eu a solto. Ela me olha e se coloca de quatro no chão para voltar. Quando está quase chegando na beirada da caçamba, engatinha de volta. Chega perto da cabine ainda de quatro. Pega o pacote de amendoim. Engatinha para fora da caçamba. Fico parado olhando para ela.

— Desculpa.

Ela volta para trás do capô, onde Zé Luís e Nick mexeram em alguma coisa da bateria.

— Tenta ligar agora — anuncia Nick para Zé Luís.

Vanessa está comendo o pacote aberto de amendoim. Nick não nota suas mãos imundas e pega uns amendoins também. Vanessa tosse de leve. Nick olha para ela. Ela ergue a cabeça para mim.

— O que você tá inventando aí, idiota? — ela diz com os dentes sujos de amendoim. — A gente vai ligar o carro.

Desço pela caçamba. Paro ao lado do carro, ao lado de Vanessa e Dênis. Zé Luís está no banco do motorista e Nick se afastou, mas tentando manter o interior do capô no campo de visão.

— Desculpa — sussurro para Vanessa.

— Olha, eu sei que... — ela diz num tom mais baixo que o normal, fala tão baixo que me agacho fingindo ver se o carro atolou para ouvir melhor. — Eu sei que eu sou sensível e tudo, mas é que... Eu tenho medo das coisas e... Tu não pode sair puxando as pessoas assim sem nem...

— "Tu". — Eu sorrio.

Gosto quando ela fala "tu". Ela suspira alto.

— Viu? É disso que eu falo. Sei que sou meio chorona e tudo, mas é que... — a voz dela parece fraquejar.

Eu me levanto e passo o braço ao redor do ombro dela.

— Eu tô falando sério — digo. — Não tô falando isso pra fingir que nada aconteceu. Eu tô pedindo desculpas porque foi meio idiota. Desculpa. — Dênis está virado pra gente, olhando, enquanto os outros dois concluem que a solução não tinha solucionado nada. — E vai cuidar do teu cu, Binho — digo.

Ele se vira para o carro.

— E aí? — ele grita.

— Sim, tô dirigindo em altíssima velocidade de volta pra casa — diz Zé Luís saindo do carro. — Não tá vendo, não?

Vanessa solta uma gargalhada pelo nariz. Aproximo minha mão para pegar na dela, mas ela roça o indicador nas costas da minha mão por um segundo longo demais e se afasta. Ela está olhando para o céu.

— Viu como as estrelas são bonitas daqui? — ela diz.

Papo de estrelas. Começo a pensar numa resposta quando vejo Nick se aproximar.

— Escureceu de vez, né, não? O sol se foi todo...

— Escureceu de vez — diz Dênis, que parece que falou a primeira vez em muito tempo.

— E a capivara, hein? — Nick nos olha.

Olho para o celular ainda sem sinal, Nick olha uma última vez para o motor que agora solta um cheiro de queimado, Nessinha olha para as próprias mãos, Zé Luís come o resto do amendoim, e Dênis olha para o mato na lateral da estrada. Zé Luís olha para a estrada, como se qualquer coisa fosse passar por ali. É uma expectativa razoável, mas não acontece. Essa não parece ser a estrada de acesso principal da cidade, onde deveríamos ter entrado. Começamos a nos virar para Dênis, que passou os últimos momentos praticamente em silêncio.

— Não sei se é seguro ficar parado aqui na estrada — diz Nick, enquanto olhamos para Dênis.

— É — diz Zé Luís. — Alguém pode querer nosso minduim.

— Sei lá — ela diz —, é que escureceu.

Cruzo os braços. O cheiro de queimado me incomoda, assim como a intensidade da escuridão.

— E tudo por causa de uma capivara falsa — digo.

— E por ser idiota — diz Nick. — Não esquece que a gente é idiota.

— Mas ela é real. De verdade. Eu juro — diz Dênis.

— E fugiu de verdade, você jura? — diz Zé Luís.

— Sim.

Inspiro devagar. Pauso. O vento passa pelo mato, ou talvez seja nosso tamanduá de fuça quebrada circulando por aí, morrendo de fome.

— Então você realmente quer procurar a Capi, sua capivara perdida? — digo.

Dênis olha para os lados.

— Já que a gente tá aqui...

Nick interrompe:

— Não, espera aí. A gente ficou muito pouco tempo aqui. Vai passar algum carro.

— Nick, não passou nenhum carro até agora — digo.

Ela soca o pacote de amendoim na minha mão e vai em direção ao carro.

— Não. Eu me recuso a me enfiar no mato. É a saída mais complicada pra um problema simples.

Metade de seu corpo está dentro do carro pegando mais comida. Barulho de sacolas.

— E a solução é sentar no chão e esperar? — digo.

— É. — Ela me dá uma cerveja quente.

Abro a cerveja, quase que por instinto.

— Acho que não custa esperar um pouco.

Quando cada um acabou com uma bebida (Coca-Cola para Nessa, cerveja para mim, Zé Luís e Nick, nada para Dênis) e abrimos uns três pacotes de petiscos (salgadinhos de padaria, Doritos, bolo), nos sentamos no chão. Ligamos as três lanternas entre nós.

As 8 coisas que Zé Luís mais gosta em Amanda

8. Nos primeiros anos de vida de Zé Luís, sua mãe servia a ceia natalina. Foi Amanda quem convenceu os pais a não deixar sua mãe trabalhar no Natal, Ano-Novo e feriados.

7. Amanda era a criatura mais perfumada que Zé Luís conhecia. Porque ele conhecia o cheiro do sabão em pó e do amaciante de erva-doce (que a mãe dele colocava), do sabonete de glicerina (que era o mesmo havia alguns anos), do perfume importado (que havia cheirado em segredo), mas era a combinação de um ser humano dentro desses formatos. Era o fato de que Amanda não era três cheiros distintos somados. Amanda era única. Ela era a interação entre os formatos predeterminados. Esse era o cheiro atrás de sua nuca.

6. Ela sempre deu abraços de Natal e Ano-Novo em Zé Luís, mesmo que o pai, a mãe ou o outro irmão dela não o fizessem. Léo fazia, mas quem liga pro Léo?

5. Zé Luís tinha que admitir que ela tinha uma bunda linda também, que escondia constantemente com vinte camadas de roupa.

4. Ela nunca o tratou de maneira diferente. Isso quer dizer ter intimidade para mandar Zé Luís à merda de vez em quando.

3. E intimidade suficiente para sentar e falar pra ele que gostava dele. Gostava muito. E queria falar pros pais dela, queria que ele parasse de estar ali como filho da empregada.

2. E intimidade suficiente para ouvir apenas um beijo e insegurança de Zé Luís em resposta. E se a mãe dele fosse demitida? Ela não tinha mais idade pra entrevista de emprego ou salário inicial. Além disso, os pais dela não assinavam carteira.

1. E intimidade suficiente para continuar beijando-o mesmo que ele não soubesse o que fazer. Mesmo que nunca soubesse o que fazer. Até que ele não soube como resolver a mentira da prostituta.

ZÉ LUÍS

por volta das dez horas

As latas esvaziaram, foram substituídas, e esvaziaram de novo. Não que fossem "esvaziadas" sozinhas, mas foi disso que me dei conta. Me dou conta que havia um monte de latas no chão e logo vejo Nessinha juntando todas em uma sacola plástica do mercado. Ela é a única em pé, circulando ao nosso redor enquanto estamos sentados.

— Nessinha, senta — digo. — Cê tá me dando agonia andando aí. — Ela me vê olhando.

— É pra não acontecer acidente, os bichos e… tal.

— Mas que acidente? Não tem carro vindo.

— Zé Luís — diz Nick. — Deixa ela.

Deixo. Enquanto Vanessa fecha a sacola com um nó e a leva de volta pro carro, eu me deito no chão asfaltado. Apesar de ser asfaltado, ninguém vai me ver. Ninguém vai passar porque ninguém tinha passado. Porque Nick olha um mapa, mas sei que ela também não sabe. A gente não estaria parado aqui se soubesse.

Dênis está sentado em silêncio com as costas apoiadas no carro. Desde a discussão anterior, ele não parece ter inventado nada, o que quer dizer que não disse nada. Não que algum de nós tivesse dito qualquer coisa.

A gente tinha ficado em silêncio, trocando algumas frases, pedindo pra passar um salgadinho de padaria ou um pedaço de bolo, com minidiscussões pra ver quem ia no carro pegar mais bebida. Não falamos de professoras irritantes, de abaixo-assinados feitos por turmas mais velhas, do último comentário idiota feito pelo pai da Nick, do último escândalo de trabalho escravo do único restaurante da cidade que servia peixe. Em algum momento, ligamos as luzes do carro pra nos iluminar, mas o Léo reclamou da bateria. Deixamos os faróis ligados de qualquer forma. Xingamos o Dênis de leve, mas ele não respondeu. Nem pediu que passassem comida. Não pedimos também. Ele tinha um pacote de Cheetos Bola fedorento e um latão de Skol que já devia ter esquentado.

Ninguém além da Nessinha quis levantar, então ela acabou indo buscar um monte de coisa. Depois, começou a juntar o lixo. Ela não queria, ou não podia, ficar parada. Imagino que Léo goste dela e tudo o mais, mas ela às vezes me lembrava de quando eu acelerava um vídeo no computador dele. Duas noites pra baixar e aí botava a velocidade em 1.5 só pra ver o que acontecia. Nessinha falava e existia rápido, rápido ao ponto do anormal. Mas Léo nunca me disse nada sobre ela. Só que existe um jeito de falar sobre as pessoas, as pessoas que a gente não gosta. E ele usava o jeito oposto.

Além dos vídeos, o ritmo inteiro do tempo parecia esquisito. Era tudo muito esquisito. Tudo poderia ganhar um adjetivo (ou é advérbio? Eu cago um pouco pra aula de português) de "esquisito". Comemos esquisito, sentamos esquisito debaixo de uma luz esquisita, falamos esquisito e, quando conversamos, conversamos sobre coisas esquisitas. Não sei esquisitamente quanto tempo esquisito passa nesse ambiente esquisito. Sei que deixamos uma pilha de lixo que Nessinha vai juntando. Nosso tempo esquisito totaliza três sacolas de lixo.

Estou deitado no asfalto e não consigo ver as estrelas por causa da luz do carro. O cheiro de queimado passou um pouco, e tem um cheiro de natureza por aí, ou pelo menos cheiro de plantação de soja. Qual o cheiro de plantação de soja? Eu me pergunto se Amanda está bem.

— Acho que a gente pode reconhecer que não vai vir ninguém — digo. — Não dá pra virar a noite aqui.

— É — diz Léo. — Nem as lanternas nem o carro têm tudo isso de bateria.

— Tem certeza? — pergunta Dênis.

Jogo uma lata na direção dele. Ela bate numa roda. Não achei que estivesse tão bêbado assim.

Léo está em pé, e Nessinha sentou ao lado de Nick. Léo vai até a caçamba do carro, sobe, sobe na cabine e olha tudo lá de cima. Ele baixa a cabeça.

— Não, gente. Não tem nada. Pra lado nenhum.

— Novidade — diz Nick. — Agora desce daí.

Ele pula da cabine de volta para a caçamba. Ao aterrissar, tropeça no pano (ou numa pá?) e cai de lado. Bate o peito numa barra da caçamba, tenta se equilibrar, perde o ar, cai de lado. Fica caído ali dentro. Eu não vejo direito. Ele não diz nada, deitado de lado. Respira fundo. Inspira. Conhecendo o Léo, sei que não quer mostrar dor. Mas os olhos devem estar cheios de lágrimas. Ele agarra uma perna, de forma oposta a um jogador de futebol que quer cavar um pênalti pro próprio time. Ele inspira e expira, uma expressão dura no rosto. Nós nos juntamos ao redor da caçamba, perguntando se ele tá bem. Ele começa a sentar ainda na caçamba.

— Bom — diz ele. — Agora a gente tem mesmo que dar um jeito de sair daqui.

— Por quê? Você se machucou? — diz Vanessa.

Ele olha pra ela, fazendo carinho na perna.

— Não, porque... Agora a gente tem mesmo que sair daqui. —

Ele engatinha até a saída e desce da caçamba sentado. — Só isso mesmo...

Ele põe muito pouco peso na perna esquerda, apoiando só na ponta do pé. Vanessa e Nick correm pra ajudar, mas ele as impede, porque é claro que faria isso. Troco olhares com Dênis, que na verdade olha pro chão. Estou completamente sozinho. E Amanda deve estar preocupada com o irmão a essa hora.

— Que horas são? — Olho pro Léo.

Léo tira o celular do bolso.

— Ainda sem sinal. E são dez e vinte três.

É. Amanda deve estar preocupada. Com o irmão, quero dizer. A Carolina já deve ter ligado pra ela também...

— E se a gente fosse mais pra dentro das árvores? — diz Nick. — Aí a gente acha uma árvore mais alta... Lá teria sinal.

— Ou alguém conhece essa região? — pergunto. — A gente pede pra usar o telefone de alguém.

— Que nem num filme de terror — diz Nick.

— Ou o carro, sei lá.

— Sim, porque todo mundo empresta carro pra um monte de adolescentes — Nick ri.

— Pra gente não, mas pro filho do Statto... — Olho pro Léo. — Que ainda tá machucado...

Nick pesa a decisão em cada ombro. Dênis ajeita a postura e observa ao redor.

— E a gente pode procurar a Capi no caminho.

— Puta que pariu com essa história de capivara, Binho — diz Léo.

— Só uma ideia, sei lá.

— Só uma mentira! — grita Léo.

Dênis encolhe o corpo de novo, cruza os braços.

— É que... vocês conhecem o seu Renato, da fazenda dos Gusmão?

— A fazenda fica aqui perto — diz Nick. — Acho.

— Ah tá, agora vai falar da única pessoa que tem capivara de verdade na cidade — diz Léo, abrindo a porta do carro e pulando pro banco do motorista, depois baixando o banco.

Nessinha franze a testa, mas sei que não vai perguntar a respeito. Me viro pra ela num canto.

— O seu Renato tem tipo uns trinta anos. E ele nunca conseguiu passar no vestibular da federal de Uberlândia, que tem um campus rural na Chapada do Pytuna.

— Nunca passou no vestibular — interrompeu Nick. — E nunca tentou nenhuma outra universidade. Só quer a UFU, o curso de veterinária da UFU. É o sonho dele desde 2003. Não quis nem olhar Brasília, Ouro Preto, sei lá.

— É, tipo assim — interrompo de volta. — Ele ainda faz cursinho, mas trabalha como faxineiro e auxiliar geral no campus rural aqui, em especial no curso de veterinária.

— Então imagina só que gente da mesma idade que ele chama o Renato de "seu Renato".

— Caramba... — diz ela.

— E — diz Nick — ele é insuportável com biologia, se você confunde, sei lá, "fauna" e "flora". Coisa idiota assim.

— Só que ele zera a prova de biologia com alguma frequência — digo.

— Como assim? — Vanessa parece confusa.

Eu sorrio, dizendo:

— Você consegue ver a nota de uma pessoa, onde ela acertou ou errou, no site do vestibular. É só saber o nome completo e a data de nascimento.

— Sério?

— Sério — digo. — Se a universidade for federal.

Ficamos olhando para fora um tempo. Léo solta um gemido leve, acariciando a perna. Nick, eu e Vanessa nos entreolhamos pela primeira vez.

— Cidade pequena é cruel — diz Nick.

Ficamos em silêncio.

Apesar de ser noite, o asfalto ainda está um pouco quente. Fico olhando Dênis, Vanessa, Nick e Léo de seus ângulos esquisitos. Mais um "esquisito". Apesar de Dênis sempre ter sido esquisito.

— Isso sem contar que a gente fala "fazenda dos Gusmão", mas a fazenda é teoricamente dele, né — diz Nick. — Ele é Gusmão.

— Outro Gusmão que não bate bem é aquele primo dele — digo —, que tem a esposa alcoólatra, que bebia até perfume, lembra?

— É — Nick começa a sentar no chão —, mas isso foi depois que o pai dela teve um AVC e tal, não dá pra dizer que...

— Posso terminar minha história? — interrompe Dênis.

— Ah — eu rio. — É mesmo.

A gente se vira pra ele. Até Nessa ri. Esse é o fluxo não estranho da conversa. Esse fluxo que vai e volta, mas nunca exatamente volta. Isso é natural, isso não é estranho. A gente está assim. A gente é assim. Neste momento.

— O Renato tem as capivaras, né?

Eu me viro pra Nessa, pra explicar que essa é a outra parte da história de Renato: ele traz as capivaras do curso de veterinária pra casa. As capivaras velhas que vão ser sacrificadas. Ele tem uma mini-fazenda de capivara velha. Não vende, não faz nada, só cria as capivaras pra elas morrerem de forma digna e não impactarem o meio ambiente. Então ele as deixa num cercadinho, cuida delas. Quando me viro pra explicar, pra corrigir o fluxo da conversa, Nessinha está sentada ao lado de Léo no banco do motorista. Eu a deixo. Dênis ainda tá falando quando volto a prestar atenção.

— ... E ele roubou minha capivara. Eu vi que ele roubou hoje de tarde.

— Cê tá louco? — digo.

— Ele rouba as capivaras da universidade, por que ele não ia roubar a minha?

— É um cleptomaníaco de capivara?

— Ele já é maluco da veterinária igual! Só que eu não queria dizer, porque fiquei envergonhado de vocês acharem que eu sou um trouxa que perde capivara!

Léo senta ereto no banco do carro. Estava ouvindo a conversa. Vanessa não está mais do seu lado.

— Roubaram a sua capivara, Binho? — ele diz.

Binho faz que sim com a cabeça e, ao descer pra concordar, deixa a cabeça baixa. Léo começa a buzinar e finge acelerar um motor. Ele buzina mais. O som preenche todos os vazios entre nós. Buzinando, tempo demais, continuando, aquele som, que vai ficar ecoando, buzinando, nos meus ouvidos, ninguém se mexendo, apenas tapando os ouvidos, porque Léo que está buzinando, o barulho, barulhão, barulhando alto e ecoando, e a gente sem saber se algum dia vai escutar qualquer outra coisa que não o eco no meio daquilo tudo.

Até que fim.

— Seu maluco! — Léo sai do carro num salto. — Eu vou te matar. Vou tacar fogo na sua cara.

Ele anda na direção de Dênis, ainda jogando mais peso na perna direita.

— É verdade!

— *Agora* é verdade?

— É!

— Eu juro que, antes de acabar essa noite, vou cavar um buraco e enfiar sua cara nele. E aí vou tacar fogo na sua cara morta.

Voltamos a discutir e xingar o Dênis. Eu espero passar. Sei o que vai acontecer, tudo que vai acontecer. A gente vai acabar tentando fazer o caminho de volta pra casa a pé, vai falar mal do Dênis como já fala, a Amanda vai continuar puta comigo porque esse merda não diz a verdade nunca, eu vou morrer sozinho num formigueiro devorado por um tamanduá de focinho quebrado. É só isso. Eles continuam discutindo. A conversa segue pra esse rumo, eu paro de ouvir as falas, só observo o fluxo de conversa, indo e voltando, como se todo mundo tivesse fumado e estivesse soltando baforadas de cigarro, o resultado se moldando na minha frente, como uma massa cinza que resulta na nossa rota pra casa que deve demorar duas horas, mas a gente já ficou umas duas horas aqui de qualquer forma, né? Então qual a diferença, além de uns pais meio brabos, a gente pode muito bem consertar isso, até que...

— Então vamos lá — ouço uma voz sair de mim, e essa voz diz: — Então vamos lá na fazenda dos Gusmão. A Nick disse que é perto.

Por algum motivo, meu desafio foi a algo que o Dênis disse. Mas todos olham pra Nick, enquanto ela dá de ombros.

— É... Pelo mapa que eu tava olhando, por onde eu acho que a gente tá... — Ela pausa e nos olha. — Perto, perto, *perto assim,* eu não diria...

— Vamos lá — diz a (minha) voz de novo. — Vamos buscar a Capi.

Léo anda até mim numa tentativa de não ser manco, com uma cerveja na mão. Ele bota a outra mão no meu ombro, rindo. Ele toma mais um gole.

— Se é perto... A gente pede pra usar o telefone...

— Ou morre no mato — sussurra Vanessa pra Nick.

— O Dênis vai morrer de qualquer forma — diz Léo.

Encaramos o mato ao nosso lado. Quer dizer, logo na nossa frente tem algumas árvores esparsas. Grama e umas árvores bonitas, uns ipês, sucupiras, uns pequizeiros, acho. A época de chuva é a época mais verde. Não acredito que tem quem não goste daqui. Não é tão mato, porque logo aparecem as fazendas de soja. Na distância, as montanhas, porque a chapada é... bom, é uma chapada no meio de montanhas. E no meio disso tem alguns matos mais fechados, às vezes dentro das fazendas de soja. Pontos que meio que não são de ninguém, ou de ninguém que se importe o suficiente. E acho que eu mesmo tenho uma vaga ideia da fazenda dos Gusmão, porque é onde tem as capivaras. A gente sempre sabe da fazenda onde ficam as capivaras.

Eu não sei muito bem a motivação dos outros, mas a fumaça do fluxo de conversa se dissipa. Começamos a encher as mochilas com as bebidas e comidas que sobraram. Léo confere o celular pela última vez e guarda no bolso. Olhamos para a rota no mapa enquanto ouvimos o barulho de Léo travando as portas, inclusive o alarme. Isso, ligar o alarme no meio do nada. Nick e eu achamos que estamos em uma estrada. Binho aponta uma BR, que claramente não é, por falta de movimento.

— Quer olhar aqui? — pergunto pra Léo.

— Foda-se — ele responde.

Olhamos pra Vanessa e erguemos o mapa de leve. Ela faz que não com a cabeça (acelerado, vídeo acelerado), enquanto Nick dobra o papel e enfia no bolso. Vamos entrar no mato atrás de uma capivara potencialmente roubada, vamos no sentido contrário da civilização, que na verdade não é civilização, às dez da noite. Nenhuma ideia parece boa e essa é a pior de todas. Abro um sorriso. Nessinha também sorri.

7 coisas que Nick aprendeu a respeito de assexualidade na internet

7. Assexualidade é como uma orientação sexual, como heterossexual e homossexual. É uma pessoa que não sente atração sexual.

6. Tem pessoas na internet que dizem que isso é falta de Jesus. Outras pessoas na internet dizem que isso é falta de piroca, porque isso é muito anormal.

5. Assexualidade não quer dizer abstinência.

4. Assexualidade não é identidade de gênero.

3. Assexualidade não é medo de relacionamentos ou outro tipo de envolvimento.

2. O que Nick mais aprendeu sobre assexualidade na internet é que envolve muitas outras palavras. E talvez ela seja quase assexual? E tem a coisa toda da área cinza, que ela não achou muita coisa a respeito. Ou talvez seja assexual, mas não por… por quem? Ela não sabia bem por quem, mas imaginava que poderia se sentir atraída

por alguém. Mas será que se ela se sentisse atraída por uma mulher, isso não a faria automaticamente lésbica e, portanto, não assexual? E ela nem gostava tanto da cor cinza. Rótulos não ajudavam. Cores não ajudavam.

1. Nick aprendeu que não gostava de tantas palavras, não tão complicadas, quando o que sentia já parecia difícil o suficiente.

por volta das onze horas

A gente caminha pela estrada asfaltada. Tenho uma cerveja na mão, mas odeio cerveja. Odeio, odeio, odeio cerveja. É amarga, é suja e parece que deixa uma ressaca pior. Eu não entendo nada. Sei que adolescentes deveriam se achar melhores que todo mundo e coisa e tal, mas a adolescência me parece um grande ponto de interrogação. Nos filmes, nos livros, todo mundo acaba descobrindo algo interessante e intrigante. Mas e eu? Eu não descubro nada. Sou um grande nada. Gosto de vários nadas.

Tomo mais um gole de cerveja ao passarmos por uma placa de limite de velocidade. Pra quê limite de velocidade, se ninguém passa aqui? Pra limitar os vários fantasmas, os vários nadas. Vamos nos certificar de não passar de oitenta por hora.

Dênis começou a contar uma história. Por algum motivo, eu me sinto presa na minha mente. Não consigo ouvir. Uma vez, numa das muitas vezes que meus pais tentaram me enfiar em terapia, a terapeuta disse "A sua cabeça deve ser um lugar muito divertido, porque você nunca sai daí".

Tenho que confessar, minha cabeça é um lugar bem divertido.

O gosto de cerveja fica na minha boca, e eu fico furiosa comigo mesma por tomar cerveja. Que coisa horrível, ainda por cima meio quente.

No meio da mentira do Dênis, ele pede pra gente esperar, porque ele tem que mijar no mato.

— Não deixa as cobras pegarem tua cobra! — grito enquanto ele sai correndo pro meio de umas árvores.

Vanessa se aproxima de mim.

— Tem cobra por aqui?

— Só mais pra dentro. Mas, sei lá, a gente já atropelou um tamanduá, tá atrás de uma capivara... Talvez, chega, né?

— Como assim?

— Acho que chega de vida silvestre. Quer dizer, pra uma noite. O autor não quer transformar isso num zoológico, né?

— Oi?

— Nada — eu rio.

A minha mente é muito engraçada mesmo.

Vanessa está me falando sobre seu medo de bichos do mato e de como ela é da vida urbana de Porto Alegre e nem sabe nada de bicho algum. Ela nem sabe se tem medo de cobra, porque nunca ficou frente a frente com uma. Agora ela me fala de como nem sabe se Porto Alegre é urbano mesmo, mas ela nunca esteve em São Paulo, então como é que iria saber? Talvez pra gente mais do interior, de cidades onde não tem McDonald's, a Chapada seja muito urbana.

— Dá pra imaginar uma cidade sem McDonald's? — diz ela.

Eu rio de novo.

Tomo mais um gole de cerveja. Fico braba comigo mesma.

— Eu nunca moraria num lugar sem McDonald's — digo. — Não por não poder ir ao McDonald's, mas pelo que isso significa, sabe? Se não chegou McDonald's, o que mais não chegou?

— Eu nunca — diz Léo, e toma um gole de cerveja.

— Eu nunca também — diz Zé Luís, e toma um gole da dele.

Olhamos pra Nessa. Ela revira uma das sacolas plásticas que insistiu em carregar, abre uma Coca-Cola. Toma um gole.

— Eu nunca também.

Nós rimos juntos. Continuamos andando na beira da estrada até que Dênis aparece correndo atrás da gente, xingando em idiomas que vão do mineirês a um monte de sílabas sem sentido. Léo discute de volta, dizendo que nem fomos muito longe, em especial com a perna dele. Aquele lixo de perna dele. Tudo porque não podia descer que nem uma pessoa normal. Chuvisca de leve, uma chuva de verão que tem por aqui com frequência. Digo:

— Eu nunca transei ao ar livre. — Bebo um gole de cerveja.

— Nunca. — Léo bebe um gole.

— Nunca. — Zé Luís bebe um gole.

— Nunca. — Nessinha toma um gole.

— Já — diz Dênis.

A gente ri, ainda andando. Ainda andando, ainda andando, soa engraçado. Minha mente é a melhor mente, meu Deus. Tenho vontade de cantar. Quero uma trilha sonora que vá além de uns grilos, umas cigarras, o barulho de nossos próprios pés no chão. Queria que tocasse tipo "Sugar, We're Goin Down", do Fall Out Boy. Essa música é um clássico. Ou talvez eu já esteja meio bêbada.

Outro clássico é do Jack's Mannequin, "Dark Blue", que fala "This night's a perfect shade of dark blue". Esta noite tem o tom perfeito de azul-escuro. Não é o caso desta noite, em específico. O céu tem um tom estranho de preto-noite mesmo. Tirando nossas lanternas, não tem azul nenhum. O tom de céu de quando você já está dormindo, ou de quando tem algum motivo muito específico pra estar acordado. Mas é um tom preto demais até pra mim. E as estrelas estão bonitas. Eu queria saber achar a constelação de Gêmeos, que é meu signo solar, ou Libra, meu ascendente, ou Virgem, que é minha lua. Eu não entendo o suficiente de estrelas.

As noites nos livros, nos filmes, são sempre mais interessantes. Quando saio com meu iPod, ouvindo música, me sinto num clipe, fazendo coisas legais e sendo observada. Por algum motivo, a ideia de um Eu Maior me observando, que não seja Deus, me acalma bastante. Porque desde que seja um narrador mais cabeça aberta, que não fica julgando cada coisa que eu faço como errada e esquisita, tudo bem. Porque é isso que todas as pessoas nesta cidade fazem: julgam e enchem meu saco. E se tiver alguém legal me observando, me acompanhando, acho que tudo bem. Ia até dar um oi.

Oi.

Tipo a piada do narrador, sabe? Viu, faço perguntas retóricas na minha própria cabeça. Começo a rir meio sozinha. Tomo outro gole de cerveja. Dênis, Léo, Zé Luís e Vanessa se entreolham. Que olhem. Nunca vão entender a piada.

— Cê tá bem? — Nessa sussurra pra mim.

— Só lembrei duma piada — digo, e ela sorri, enquanto Léo fica um pouco pra trás, porque começo a acelerar o passo quando entro em uma dessas viagens na minha cabeça; então sorrio pra Vanessa, indicando com a cabeça. — Vai lá apressar ele.

— Não sei, a gente já ficou conversando antes... — ela fala tão baixo que me obrigo a abaixar a cabeça. — Quando ele tava no carro...

— E?

— Não quero parecer grudenta, sei lá.

— Quer que eu vá com você?

— Não... É só que... Sei lá...

Fico olhando pra ela. Tomo mais um gole de cerveja enquanto nos encaramos. Vanessa baixa os olhos sorrindo e me estende a Coca-Cola.

— Hã?

Assim que pego a lata, ela sai correndo pro fim da nossa fila indiana. Ao olhar pra trás, noto que fomos deixando uma trilha de latas perdidas no chão, alguns pacotes de salgadinho, uns farelos de bolo, alguns Cheetos que caíram, nossas pegadas. Voltar vai ser fácil. Penso meus vários nadas. A paisagem também é vários nadas, quase bonita, ao menos durante a noite. Durante o dia, daria pra ver que vários dos gramados estão secos e sem graça. Teria mais dos tons cinzentos e amarronzados desta época do ano, mas teria uns calangos, umas coisas se mexendo. Com luz, muito do mistério se perderia. Com os nomes certos e científicos, um adesivinho em cima, tudo perderia a graça. É uma árvore, não sei se é cedro-rosa, guapeva ou ipê-amarelo. No escuro, tanto pode ser um ipê-amarelo quanto um arbusto esquisito. Quando não julgamos, as coisas são sempre a melhor versão delas mesmas.

Fico parada por um tempo, esperando Zé Luís e Dênis, que discutem alguma peça de carro que poderia ter quebrado no Strada de Léo. Eles vão chegando e param. Paro pra olhar com o pouco de visão que tenho. Jogo a luz da lanterna, mas não ajuda muito. É muito escuro pra todos os lados. Tem uma luz ao longe. Franzo mais a testa. Aponto a lanterna, mas sem sucesso. Léo e Vanessa chegam também.

— Vocês acham que é ali? — Tento apontar.

— O quê? — Zé Luís pergunta.

— A fazenda — digo.

— Das capivaras? — Zé Luís se vira e pega a lanterna. Repete minha mesma tentativa frustrada. — Não, não é, não.

Suspiro.

— Uai, achei que você soubesse — diz Dênis.

— Eu sei que não é aquela outra ali — digo. — E eu nunca disse que sabia chegar. Disse que era perto. Quando se vai de carro pra lá, a gente segue essa estrada... eu acho.

— Isso não é soja? — Zé Luís aponta pros verdes ao redor. — Não é aquele negócio que eles botam... antes... pra saber se tem pragas na plantação? Não tem uma coisa assim, Léo?

Léo ri alto.

— Acho que sim — ele diz.

— Vocês querem ir lá? — digo. — O telefone, o filme de terror que a gente vai repetir, coisa e tal.

O tapa no braço que Vanessa me dá contém meu sorriso. Léo franze a testa pra suposta fazenda.

— É que... Não acho que aquilo ali é uma fazenda, não.

Zé Luís cruza os braços.

— E não sei se tem gente lá dentro. No máximo um galinheiro de luz acesa.

— A gente vai trocar um lugar real, que a gente tá vendo, por uma fazenda imaginária onde tem capivara? — diz Dênis. — Vocês tão bêbados?

— Eu ainda não — diz Léo.

— Eu um pouquinho. — Tomo outro gole de cerveja e me arrependo.

Tomo um gole da Coca de Vanessa.

— A gente sempre pode voltar na fazenda das capivaras em outro momento! — Dênis diz. — Vamos pra casa! Todo mundo deve estar preocupado, caralho! Tua mãe — ele aponta pra cada um de nós —, teu pai, teu vô, tua namorada... — ele termina apontando pra Léo.

— ... queria mandar um beijo pra minha mãe, pro meu pai, pro meu vô, pra minha namorada e pra todo mundo que veio comigo na caravana lá da Chapada do Pytuna... — eu imito, jogando os braços pra cima. — Êêê!

— Êêê — repetem Zé Luís e Léo.

Vanessa parece confusa. Dênis suspira.

— Vamos só seguir — diz Zé Luís.

— É — digo. — Na próxima estradinha, a gente entra, seja pra essa fazenda ou pra outra.

Vanessa ainda está tentando se localizar na piada ou na referência à fazenda que virou galinheiro, mas era uma caravana pro *Xou da Xuxa*. Vou para trás dela, ainda dizendo:

— Não vou sair andando no meio de plantação de soja, não. Pode ser que tenha... — Bem atrás de Vanessa, me preparo. — ... cobras! — Ataco seu tornozelo.

Ela dá um pulo.

E naquele milésimo de segundo. Naquele um momento. Por um instante. Aquele pulo. Aquele pulinho. Ela pula na direção de Léo. E pega a mão dele. Mas não só isso, ele pega a mão dela de volta. E os dedos se entrelaçam. Mas só por um instante. E talvez seja a bebedeira falando. Um susto, salto, mãos, dedos, solta, mãos distantes, ela parada ao lado dele. Tudo muito casual. Mas esses dois tão muito fodidos um pelo outro.

— Eu nunca me apaixonei — digo.

Odeio essa palavra. E tomo um gole de cerveja.

— Eu nunca — diz Dênis.

A gente ri.

Zé Luís arrota:

— Eu já. — E toma outro gole de cerveja.

A gente ri também.

— Eu já — diz Léo, que bebe um gole da sua cerveja.

A gente faz comentários e piadas sobre a atual namorada dele.

— Eu já — diz Vanessa, que pega a cerveja na minha mão e toma um gole.

A gente não ri ou faz comentários. Ela faz uma careta e pega a lata de Coca-Cola logo em seguida.

— Qual é a regra desse jogo mesmo? — pergunto. — Quem bebe é quem nunca, ou quem bebe é quem já fez...?

— Sei lá — diz Vanessa, agora com as duas latas. — Eu só queria beber mesmo.

Continuamos andando. Vanessa pergunta se estamos na BR ou o quê, enquanto Léo reclama que ela é meio obcecada por BRs. Dênis começa alguma história sobre a fundação de Brasília, em que seu avô trabalhou. Me lembro da piada do oi e dou uma risadinha. A chuva segue de leve nos rostos. Eu devia ter usado rímel à prova d'água, mas sei que é idiota usar maquiagem numa cidade onde se derrete constantemente. A chuva refresca um pouco. Sempre tem vida quando tem água. Ninguém mencionou as gotinhas, e não sou eu que vou dar essa diversão pra eles.

6 motivos pelos quais Vanessa está na Chapada do Pytuna

6. Porque seus pais se divorciaram. Mas eles nunca foram casados. E o apartamento era de seu pai, sempre tinha sido de seu pai.

5. Porque seus pais se divorciaram. E, tecnicamente, a mãe de Vanessa era quem morava longe, porque foi ela quem se mudou pra Porto Alegre. E, tecnicamente, a viagem longa que Vanessa e sua mãe tinham feito era a viagem que seus avós sempre tiveram que fazer.

4. Porque seus pais se divorciaram. E uma tradutora freelancer conseguia trabalhar em qualquer lugar. Só não conseguia ter certeza da renda pra pagar o aluguel em qualquer lugar, em especial com o cenário como estava, com a surpresa que o divórcio tinha sido.

3. Porque seus pais se divorciaram. E a mãe de Vanessa deu a notícia sem chorar. A notícia da mudança, no entanto, a fez chorar por semanas.

2. Porque seus pais se divorciaram. E o pai não pediu a custódia.

1. Porque seus pais se divorciaram. E os avós sempre cobraram uma visita à Chapada do Pytuna.

VANESSA

por volta da meia-noite

Léo está do meu lado, mancando, e eu não sei o que isso quer dizer. Quando reclamei do gosto da cerveja, ele abriu uma das garrafas de vodca saborizada de uva que tinha trazido, e eu não sei o que isso quer dizer. Na verdade, não é bem vodca, mas uma mistura alcoólica para drinques com vodca e saborizantes iguais aos naturais de uva. A Nick está rindo bastante, e acho que ela não sabe bem aonde vamos. O Zé Luís não desgruda do Binho e eu não sei o que isso quer dizer. Tomo mais um gole da vodca, que faz tudo arder. É uma garrafa pesada, que carrego quase em um abraço. É escura, deixa tudo roxo, minha língua, garganta, cara. Roxa de vergonha. Léo disse que por ser saborizada ia ser doce e ia descer melhor. Não desceu. Eu não sei o que qualquer coisa quer dizer. Passamos por uma macumba, e todos desviam. Mas a macumba também quer dizer outra coisa. Estamos numa encruzilhada. Ao chegarmos numa estradinha lateral, olho pros lados.

— Tem uma entrada lateral — diz Nick.

— Mas você sabe se dá na fazenda dos Gusmão? — pergunta Léo.

— Acho que é na próxima — ela diz.

— Como você tem certeza?

— Eu não tenho. — Nick sorri.

Seguimos em frente, e meu estômago faz um barulho. Salgadinho não alimenta, ele diz. Dou um leve soco nele. Essa era uma das técnicas de um tempo atrás: dar socos no estômago por causa da fome. Mas ninguém se preocupa quando uma garota gorda faz isso. Não que eu seja gorda. Não que eu seja uma daquelas pessoas que é magra e diz que é gorda. Eu sou tipo… não gorda. É assim que as pessoas falam. Se eu disser que sou gorda, vão dizer: "você não é gorda". Nunca vão dizer: "você é magra". Se alguém entender essa diferença, e como isso faz você querer parar de comer qualquer coisa, essa pessoa me entende. Você precisa estar desnutrida pra que se preocupem. E pareço sempre estar ganhando ou perdendo os mesmos dois quilos. E eu comi salgadinhos, amendoim, até tomei cerveja. Isso não é distúrbio alimentar, acho. Além disso, distúrbio alimentar é coisa de gente rica, que tem psicólogo pra diagnosticar. Eu só pulo café e almoço de vez em quando, digo que comi no colégio. E às vezes como uma panela inteira de arroz sozinha de noite. E fico no mesmo intervalo de dois quilos pra lá e pra cá. Beleza.

Enquanto isso, dou socos no estômago pra ele parar de resmungar. Boas memórias. Tomo mais um gole da vodca, pra ver se o líquido enche um pouco o bucho.

— Tô me sentindo engraçada — digo.

— Quem deu isso daí pra ela? — Nick olha feio pro Léo.

Ele tira a garrafa de mim enquanto choramingo.

— Suquinho... — digo.

As ideias fazem sentido na minha cabeça. Mas os outros não estão ouvindo direito. Todos bêbados, menos eu.

— É que ela não é acostumada a beber muito — diz Nick. — E a gente não comeu tanto assim.

Conversam sobre beber e bebedeiras. Quero participar. Quero falar. Quero que me notem. Olhem pra mim, cazzo. Minha vó, a outra vó, falava "cazzo". E "porco cane". Até "porco dio", ou "tome tento". Mas nem sei se é italiano. Nem sei como se escreve. Todo mundo fala que fala italiano, que tem família italiana, coisa e tal.

Quando ela morreu, meu pai levou um monte de cacarecos pra casa. E são as coisas da casa dele agora, as coisas que ficaram, porque eu e minha mãe só trouxemos quatro malas de vinte e três quilos, que não são suficientes pra abrigar uma vida. Porco cane.

— Olhem pra mim, cazzo — digo.

Começam a rir.

— Ela já começou a misturar os idiomas. — Nick ri mais. — Daqui a pouco, vai misturar inglês e espanhol...

— Of course — digo.

Eles riem mais.

Fico com vergonha. Odeio sentir vergonha. Mas sinto muita vergonha o tempo inteiro. Saio da estrada, correndo, com um capim idiota até o joelho. Rápido, rápido, rápido. Se eu correr o suficiente, chego em Brasília e pego um ônibus pra Porto Alegre. Alguém me buscaria na rodoviária, acho.

Sinto um corpo sobre o meu. Nick me pegou como uma bola daqueles filmes de futebol americano. Nossos corpos se juntam, ela respira quente. Lavanda e cigarro. Caímos juntas. Rolamos no chão. Eu me afasto o mais rápido que dá. Meu rosto está quente, eu ando meio torto. Ela é uma visão patética no meio do mato com aquelas roupas pretas, a gravata já meio jogada, a maquiagem um pouco borrada, o cinto de rebites, os anéis, o piercing, tudo contra aquele monte de verde e cheiro de bosta de vaca.

— Você tá louca, sua bezerra rebelde? — diz ela.

— É, mas quem tá sentada é tu. — Começo a rir.

Ela que acabou sentada! Eu tô em pé! Léo, Dênis e Zé Luís começam a se aproximar no seu ritmo mais lento. Atravessam o capim alto até onde nós estamos. Há uma grade não muito longe, e nos acercamos dela como um grupo. Em silêncio. Em solenidade. Nick bebe a vodca saborizada. Tem uma casa de cimento, uma varanda tosca com uns brinquedos espalhados. O som de grilos. Uma das salas está acesa, um barulho vem de dentro.

— Não é tão tarde — Léo diz depois de olhar o celular. — Deve ter um caseiro sem sono, sei lá.

— Eu tenho uma boa e uma má notícia. — Nick olha o campo atrás da grade. Franze a testa.

— O quê? — pergunta Dênis.

— É ela mesma — Nick diz e larga no chão uma latinha ainda com cerveja dentro. A latinha cai de lado e começa a derramar cerveja pelo que parece ser um gramado. — Eu estava certa. Essa é a fazenda dos Castro. Era mesmo aqui perto.

Zé Luís olha a cerca frágil, chuta a latinha, mais cheiro de cerveja.

— É boa pra gente, ruim pro Dênis.

Ele tenta fazer embaixadinhas com a lata de cerveja. Léo tenta roubar a latinha com chutes.

— É que a Nick fica insuportável quando tem razão — Léo diz.

— Não é por isso, seus toscos. — Nick abre um sorriso imenso. — A boa notícia é que achamos os vizinhos dos Gusmão. A má é que a gente vai achar umas capivaras.

Eu sorrio de alívio.

— A gente não pode só pedir ajuda? Mesmo que estejam dormindo — diz Dênis. — Sei lá, a gente acorda eles…

Dênis é o único que acha que devemos fazer isso. Eu imagino que todo mundo bebeu o suficiente pra pensar que a ideia é divertida. Todo mundo tá bêbado, menos eu. Decidimos tentar voltar pela estradinha. Era só uma questão de ir na direção certa.

Paro de tentar recolher os lixos que estão deixando cair ou jogando no chão. Até porque já não sei. Se querem ser porcos, eles que sejam. Eu não vou ser. E daí que eles são porcos? Porco cane. E daí que ele sempre respondia os bilhetes que eu mandava na aula com uns bilhetes mais compridos ainda? E daí que ele ficava falando comigo por mensagem no celular até ficar tarde demais? E daí que eu e o Léo nos beijamos aquela vez? E daí que a Nick fala que o Léo é meio babaca e não devia ter me beijado? E daí que a Nick ainda precisou da minha ajuda pra analisar a cena, porque "trair namoradas não era do feitio dele"? Ela até fez uma piada dizendo que, "no geral, ele que era o corno". Corno. Eu não preciso de mais ninguém. Não preciso. É. Isso mesmo. Em voz baixa, peço minha vodca saborizada de uva de volta pra Nick, que diz que nem pensar. Dou uma gargalhada. Léo anda devagar demais.

Não sei que horas são, e não ligaria se soubesse? Acho? Gosto de perguntas? Caminhamos e discutimos. Deixo Zé Luís ajudar Léo a andar, porque Léo começou a colocar o peso em Zé Luís mesmo. Peço mais uma Coca-Cola, que Léo diz que vai ser boa pra ressaca. Discutem enquanto andamos.

Nick começa a cantarolar uma música que eu não conheço. Ela diz que é a música de abertura de um anime, mas acho que ela só tá inventando palavras no ritmo que quer. A Coca tá quente. Arroto alto, um sonoro arroto gutural que sinto vir desde o esôfago subindo pela garganta e enchendo a boca com resto de gosto de bolhas. Arroto e deixo o som ecoar pelo silêncio do cerrado.

— Ô, porca — diz Léo.

Rimos enquanto andamos. Me olhem, cazzo.

Meus All Star gastos ficam mais sujos de terra. Os coturnos de Nick, por mais patéticos que sejam, parecem combinar mais com o momento. Além da trilha de lixo, há uma trilha de pegadas. Tem barro, e não sei bem por quê. Molhou onde? É estranho que um grupo de garotas e garotos ande junto. A maioria dos grupos mistos que conheço… bom, eu não conheço muitos grupos mistos. A maioria dos grupos que conheço ainda são meio tribais, meio fêmeas dum lado e machos do outro, e as obrigações e papéis esperados de cada um no meio. Talvez seja Nick, que parece não se encaixar em nenhum dos dois. Talvez, o mais provável, é que um grupo que aceitaria Nick sem essa expectativa idiota e dura também aceitaria ter garotos e garotas em igual proporção. Talvez seja um daqueles grupos que têm tanta história que já passou do tempo de alguém pensar em querer pegar alguém, ou talvez os foras e frustrações já tenham acontecido. Talvez eu tenha chegado no meio da história. É. Tudo tem uma história anterior, não é? Um par de coturnos militares, dois pares de All Star, um par de Adidas escuro, um par de tênis da Lacoste que quer parecer aqueles modernos de sola baixa, só que da Lacoste. Aquele jacaré-lagartixa sujo de terra. Calango, eles falam aqui. É estranho que esses sapatos, que ficariam em seções bem distantes numa loja, se é que se achariam coturnos e Lacoste na mesma loja, sigam uma mesma trilha juntos, deixem pegadas lado a lado.

— Como vocês ficaram amigos? — pergunto.

— É que… ninguém aqui é muito amigo. — Nick solta uma gargalhada.

— A gente só foi ficando perto — diz Léo —, eu acho. E nunca tem como resetar uma amizade de infância, né? A Nick sempre vai ser a pessoa que roubou meus Legos...

— Você sempre vai ser o cuzão que veio na minha casa bêbado às cinco da manhã...

— Oi? — diz Léo.

— Lembra aquela vez? Que você apareceu na minha janela... Bêbado, chorando... Mandando eu descer pra gente lutar? Dizendo que eu só atrapalhava tudo?

— Do que você tá falando? — Léo franze a testa e olha pra mim.

Dou de ombros.

— Ah, até parece que você não lembra. Faz pouquíssimo tempo! Foi tipo...

— Tá, tá! — Léo interrompe. — Eu nunca fiz isso, sua louca.

— Você que é louco. Fica falando que eu roubava seus Legos, mas você enterrava eles pra virarem dinossauro...

— Olha aqui, eu nunca sequer uma vez esqueci...

Eles começam a discutir pessoas, lugares e situações que eu não conheço. Sinto outra coisa no estômago. Sinto outra vontade de correr. Uma queimação e vontade. Saio correndo, rumo ao mato.

5 motivos pelos quais Léo ainda está com a namorada

5. Porque Léo gosta dela. Gostou dela desde o início, quando a conheceu numa festa do Rotary Club da cidade.

4. Porque Léo gosta dela. Ele gosta do seu jeito ambicioso, de como tem planos e mais planos, de como quer construir algo junto com ele. Léo sempre teve medo de destruir tudo que tocasse, mas Carolina lhe dava a certeza de que construiriam algo.

3. Porque Léo gosta dela. Apesar de tê-la traído com Vanessa, apesar de ter sido uma coisa de uma vez só.

2. Porque Léo gosta dela. Apesar de, objetivamente, Léo gostar mais de Vanessa. Mas o que ele vai dizer? O que vai dizer pra Vanessa? O que vai dizer pra Carolina? Vai trocar uma certeza por um talvez?

1. Porque Léo gosta dela. E porque ele não sabe o que fazer.

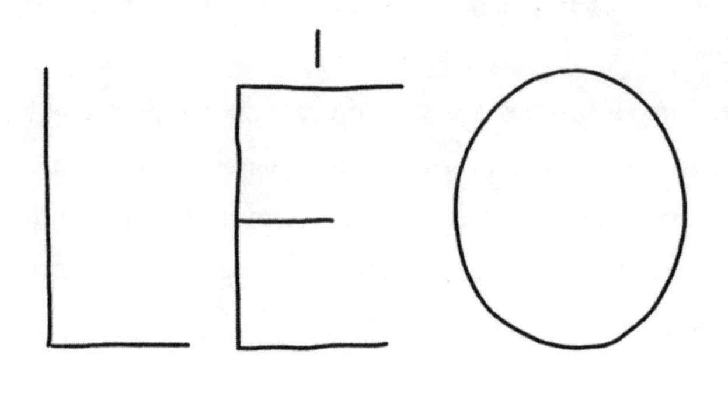

por volta da uma da manhã

Nessinha corre pra vomitar, e olho pra Nick.

— Não vai atrás dela?

Ela faz uma cara de nojo. Ouvimos os ruídos de vômito saindo, de líquido batendo em algum verde.

— Olha aqui — digo. — Não eram cinco da manhã. Eram só três. — Nick arqueia um pouco as sobrancelhas. — E como você me conta essa história na frente dela, sua tosca?

Nick ri em resposta.

— Detalhe, detalhe... Esqueci...

Talvez o fedor seja vômito ou bosta de cavalo ou os dois. Quero dar um soco nela. Quero dar um soco no Binho. Quero dar um soco no Zé Luís. Até na Vanessa eu daria um soco, pelo menos no braço. Quando ela volta, abre outra Coca-Cola e faz um bochecho como se fosse Listerine. Cospe o líquido no chão ao meu lado. Ela ainda parece bêbada, embora não deva ter muito dentro do corpo. Ela revira a mochila de Nick e pega um pacote de Cheetos de requeijão.

— Outro? — reclamo.

— Ah, vai à merda — diz ela, em voz bem baixa.

Nick a abraça.

— Viu, tá sabendo lidar direitinho com ele.

Nick beija a cabeça de Vanessa e vê que ela tem um pouco de vômito no cabelo e na camiseta. Usa a Coca-Cola para tentar limpar. Agora Vanessa cheira a uma mistura de Coca-Cola com vômito que talvez me faça vomitar.

— Onde tá o Binho? — diz Nick.

— Ah — Zé Luís começa a olhar pros lados —, era só o que faltava aquele safado ter fugido pra gente se foder sozinho.

Começamos a procurar Binho, voltamos um pouco na trilha, tentamos espiar na casinha. Não parece que alguém conversou com outro alguém dentro da casa. Passamos por um pequizeiro alto, em que Zé Luís sobe com a ajuda de Dênis pra procurar por Dênis. Ninguém sabe onde está Dênis. Dênis não sabe onde está Dênis. Sinto vontade de contar pra Nessa que é proibido cortar pequizeiro. Dá multa. Ela é o tipo de pessoa que se interessaria por essa informação, que não diria que sou idiota por saber isso. Mas não digo. Devia dizer. Nick fica gritando pros dois tomarem cuidado com os morcegos ou sei lá que bichos que ficam numa árvore a essa hora. Não encontram ninguém. Andamos. Dênis nos conta que não viu Dênis. Faz uma piada sobre aquela entrevista do Pelé em que ele fala que o Pelé é uma pessoa, e o Edson é outra. Dênis brinca que não conhece Binho.

Paramos embaixo de uma mangueira, porque estamos cansados e Nick olhou feio pro meu jeito de andar. Comemos um pouco. Comemos pão de leite puro, sem nada. Vamos enfiando pra dentro, e vai deslizando pra dentro com Coca-Cola e vodca saborizada. Dênis conta de uma aventura que teve com a Capi antes de ir pra escola hoje. Olho o relógio do celular. O aparelho tem uma barrinha de sinal. Eu poderia. E a minha perna. E quem sabe se eu checar. A minha mãe. Meu pai. Quem sabe se. Vejo alertas surgindo. Olho pro Zé Luís, rindo de alguma coisa que Dênis disse. Dênis e o Binho poderiam ajudar a procurar Binho e Dênis. A gente poderia. E a preocupação.

Fecho o celular.

— Tecnicamente — digo —, se é que isso aconteceu, aconteceu ontem. Hoje já é amanhã.

— Ah, vai à merda — diz Nick, sorrindo pra Vanessa.

Vanessa parece sóbria de novo porque diz que tem medo que caia uma manga na nossa cabeça. Por outro lado, não está sóbria o suficiente pras suas neuras de limpeza, e deixamos um pequeno santuário de lixo e álcool ali. A garrafa vazia de vodca sabor uva marca Kosako. Voltamos a procurar o Dênis, até decidirmos seguir em frente.

Manco nas pegadas que já deixei. Procuramos o Dênis que ainda não achamos. Nem mesmo Binho encontra. Caminhamos o caminho que já caminhamos, nas pegadas que já deixamos.

— Alguém devia fazer um poema sobre isso — digo.

— Oi? — diz Nick.

— Caminhar o caminho já caminhado — digo.

— Sim — diz Vanessa —, porque poetas são famosos por essa escolha horrível de palavras... Caminhar o já caminhado... — Rimos. — E tenho certeza que a ideia de seguir por um lugar que já se passou não é nova.

— Cê gosta de literatura, né? — tento não soar imbecil.

— Minha mãe é tradutora — ela diz. — Tem bastante coisa literária na minha vida. — Ela ri. — Meu nome, até, foi um poeta irlandês que inventou, como pseudônimo pra mulher que ele amava.

— Ah. — Eu não sei o que é um pseudônimo.

— E aí depois um biólogo usou pra nomear uma borboleta.

— Sério? — digo.

Alguém deveria escrever um artigo na Wikipédia sobre esse nome.

— Aham. Mas o nome em si não significa nada. Era só uma palavra que soava bem pra um poeta, que tinha a ver com o nome da mulher que ele gostava e tal. E aí um biólogo curtia o poema.

— Mas então tem um significado, sim: tipo "borboleta literária".

Nick e Nessinha dão uma gargalhada. Talvez Nessa esteja bêbada ainda.

— O *significado* é que, desde que soe bem — ela ainda está rindo —, qualquer coisa pode ser um nome. Tipo Binho.

— Qual o problema de Binho?

Ainda andamos.

— O nome dele é Dênis — diz Nessinha, olhando pro Dênis. Não era ele que nós estávamos...? Não. Era o Binho.

Gesticulo com a mão e a lanterna, mas me desequilibro.

— É que Dênis soava muito como pênis.

— Então vocês chamam ele de Binho só pra... evitar falar de pinto?

— Eles são adolescentes — Nick se mete. — E nunca poderão falar sobre pinto, senão a masculinidade deles vai ser ferida.

Paramos no vômito da Vanessa que parece ser de uma eternidade atrás.

— E agora? — digo.

— Agora... Sei lá — diz Nick, que olha pra Zé Luís.

— Eu acho que ele deu o fora — diz Zé Luís.

— Bom, agora a distância é a mesma entre a fazenda onde ele tava e a fazenda das capivaras.

— É, mas qual a graça de procurar capivaras sem o Dênis? Sem poder esfregar na cara dele? — diz Zé Luís.

— Na verdade, procurar por ele foi o que a gente fez a noite inteira, não é? — diz Vanessa. — Tentar alcançar ele e tal... Entender por que uma pessoa é tão mentirosa... Tão compulsiva... Tão marcada pelas mentiras — ela continua.

— Depois fala de mim com a poesia ruim — digo.

Paramos e rimos por um tempo. Minha perna treme. Eu mando que ela pare. Sento no chão.

— Cê tá bem? — diz Nick de cima.

Insisto que sim. Ela pergunta de novo. Eu insisto que sim.

— Tá tudo bem, Nick — grito. — É só uma dor esquisita no joelho! Deve ter sido o impacto na hora de descer ali, fica calma.

— Mas é que…

— Ah, vai te foder, Nick! — grito.

Deito na grama. Agora tem mais estrelas. Papo de estrelas.

Nick anuncia que vamos levantar acampamento, nosso pseudoacampamento. Mas o que é um pseudônimo? Nick decidiu que quer ver capivaras com ou sem Dênis. De qualquer forma, o Renato devia ser uma pessoa mais disposta a ajudar do que um caseiro insone. Sei lá, uma pessoa que supostamente rouba capivaras não pode ser de todo ruim. Eu os observo andando, enquanto ela fala:

— … se fosse ruim mesmo, roubava vaca. Roubava, sei lá, abelha, um negócio que é supervalioso… Mas capivara doente…

— Tem gente que rouba abelha? — ouço a voz de Vanessa.

— Lá no rancho de um colega de trabalho da minha mãe…

— Mas "rancho" é coisa de gringo.

— Acho que por isso que roubaram as abelhas. Gringo não precisa de abelha.

Lanço a luz da lanterna nelas. Eu as vejo e ouço caminhar mais na frente. Ao meu lado, Zé Luís oferece a mão, que pego e uso de alavanca pra me erguer. Ao olhar atrás delas, lá está Dênis. Tento correr pra ele e pro grupo, mas tropeço em mim mesmo. Zé Luís ainda me acode.

— Binho! — grito. Elas, ele e nós paramos. Respiro pela boca. — O Binho! Aí!

— Desde quando você tá aí? — diz Nick, Dênis dá de ombros. — Você tava... nos ajudando... a te procurar?

— Ah — ele olha pros lados —, era eu quem vocês estavam procurando?

— Quem você achou que era?

Começo a mancar na direção dele, mesmo que Zé Luís quisesse que a gente ficasse mais longe.

— Mas é que eu tava ali o tempo todo! Achei que tinham perdido outra pessoa!

Nós nos encaramos. Nick suspira, fechando os olhos por um, dois, três segundos. Há silêncio.

Não há ameaças de morte: há sons de grilos.

Não há um coro de pessoas irritadas xingando simultaneamente: há o cheiro de esterco, vômito, salgadinho, grama, bolo de cenoura, vaca e amendoim.

Não há tentativas de bater nele: há eu abrindo a segunda garrafa de vodca saborizada com meu canivete e bebendo no bico. Guardo a rolha no bolso, junto com a primeira.

Vanessa abre a sacola e pega outra cerveja. Não há comentários. Há o barulho do abrir de latas, de goles. O Dênis diz:

— Gente, desculpa, acho que eu tava meio bêbado e não entendi.

Não há resposta: há nós seguindo em frente.

Não há um longo discurso de Zé Luís sobre como Dênis não assumia responsabilidade alguma nunca e como não sabia que mentir podia impactar a vida dos outros: há passos nossos.

— Gente, foi mal mesmo, eu tava imaginando que...

Não há interrupção da frase: há apenas um eco do próprio Dênis, que não achava que terminaria a frase. Achava que poderia parar.

Não há piadas sobre as centenas de mentiras que o Dênis fica contando o dia todo: há uma terra vermelha que voa sobre e ao redor de nossos pés.

Não há gargalhadas: há nós, um passo depois do outro.

Não há brilho das estrelas ou da lua: há nossas lanternas. A de Nick aponta pra baixo, pro terreno. A de Zé Luís um pouco mais adiante. A minha lanterna alterna entre esses dois pontos.

Os passos são pesados, não no sentido de fazer um impacto no chão, de deixar marcas mais fortes que antes. Mas no sentido de pesarem nas nossas pernas. Pesam nas minhas. Na minha, esquerda. Zé Luís ainda está ao meu lado, e oferece a lateral do corpo pra eu me apoiar de tempos em tempos. Vanessa segura o braço de Nick quando ela aperta o passo, como se estivesse atrasada pra algum lugar.

Olho meu celular outra vez, e ele voltou a ficar sem sinal. Então agora só pode haver passos. Só pode haver capivaras. E se não houver capivaras, não sei o que vai acontecer.

Pra Vanessa, Zé Luís e Dênis, meu ritmo manco se torna o suficiente. Nick ainda parece perseguir um fantasma, porque volta e meia acelera e começa a andar mais rápido. Dou umas assobiadas, e ela para. Olho pra ela perguntando se ela sabe mesmo onde estamos, olho pros lados e pra escuridão. Ela ri com os olhos e pisca com o olho direito.

Logo em seguida, a lanterna de Zé Luís mostra uma plaquinha. Nick começa a pular e gritar todos os palavrões presos. Passamos por um ponto de ônibus detonado. Há uma macumba e, portanto, outra encruzilhada. Nick está pulando sobre a galinha, o arroz e uma garrafa sem notar. Mas, na encruzilhada, há uma placa pintada à mão. A placa informa por onde passamos, o que está à frente e à nossa esquerda. À nossa esquerda, a dois quilômetros, a fazenda dos Gusmão.

— Só mais dois quilômetros! — grita Nick sorridente.

Vanessa termina a lata de cerveja e a larga no chão, como se fosse um atleta tomando Gatorade. Nick enfia uma paçoca na boca, como se fosse mais energia imediata. Tomo outro gole de vodca saborizada e ofereço pra todo mundo. A garrafa estava aberta, podia ter entrado algum bicho, digo. Vanessa toma mais um gole longo. Peço pra ela ir com calma, porque ainda tá sob supervisão. Ela ri, não sei se de bêbada ou de comemoração.

— Vou mijar ali, rapidão — diz Dênis.

Zé Luís se vira.

— Vou com você.

A distância entre os dois é nenhuma. Os dois vão mijar atrás de uma mangueira.

— Se você quiser ir no banheiro também — Nick diz olhando pra Vanessa. — É só dar um grito, tá? Sei que fiz a brincadeira da cobra antes…

Vanessa sorri e faz que sim com a cabeça.

Quando os mijões voltam, seguimos pela rota apontada. Pela primeira vez em toda a viagem, temos alguma noção de distância. E nosso objetivo está próximo. Até mesmo eu ando rápido e, quando Nick acelera, não a chamamos de volta. Sabemos aonde ela vai.

Começamos a ouvir água corrente, provavelmente algum ribeirão por perto. Nick se perde de vista na frente, o que enche Vanessa de ansiedade. Apressamos. Passos depois, muitos passos depois. Talvez ela esteja correndo. Tudo em mim é velocidade. Até Binho parece sorrir. Quando achamos Nick outra vez, ela está ao lado de um portão duplo. Ao lado do portão, há uma placa.

FAZENDA GUSMÃO

Deixe aqui um pouco da felicidade que traz consigo!

Aponto a lanterna. Ao fundo do portão, há uma casa quadrada de dois andares e luzes acesas apenas na varanda. Olhamos pro portão e através dele. Há árvores por todos os lados. Uma mangueira está inclinada e tem um pau fazendo contrapeso pra que não caia. Pela estrada, e até chegar ali, deu pra ver que a área tem capim-guatemala, grama tifton. Não que isso mude nossos objetivos, mas é isso que eles têm. Devem ter limoeiros e mangueiras, além de outras árvores lá pra dentro, acho. Penso isso mais pelo perfil da fazenda do que por ver alguma coisa.

— É uma coisa bem familiar — diz Nick. — Eu nem sei se eles ficam aqui o ano inteiro, se vêm pra Chapada...

— Mas o Renato mora aqui — diz Zé Luís.

— É, mora — diz Nick.

— Não era uma pergunta.

Todos estamos apontando lanternas e tentando ver lá dentro.

Mais ao fundo, há algo que parece uma plantação de milho e uma boa plantação de feijão-guando. Algumas áreas internas estão cercadas, não sei bem qual a divisão, talvez separando árvores frutíferas do gado. Não consigo ver animais. Tem algumas construções ao fundo, uma delas pode ser uma lavanderia antiga, uma parece um curral, outras menores parecem granjas. É difícil ver, preencho com minha imaginação e pelo que já conheço. Não vi cachorros, mas com certeza devem ter ao menos três. Todo mundo tem cachorros. E seria sensato ter um ou dois gatos, se eles estocam grãos na fazenda. Quando paro de tentar olhar, vejo que Nick está mexendo no cadeado no portão.

— Não, louca! — digo. — Não, não. A gente não pode sair entrando pelo portão.

— Como assim?

— A gente tem que ir pra uma parte segura. Sei lá. Uma parte mais perto das capivaras lá. Porque a gente não quer só entrar, a gente quer entrar e *sair*.

— Espera — diz Dênis —, qual o nosso plano de ação aqui? A gente chega na casa do cara de madrugada e tenta pedir minha capivara de volta?

— Achei que tava claro — diz Zé Luís, passando o dedo pelo arame do portão, um arame liso com estacas de aroeira. — A gente vai roubar a Capi de volta. — Ele sorri.

— Ladrão que rouba ladrão… — diz Nick.

— Quando a gente decidiu isso? — diz Dênis.

— Acho que sempre? — digo.

Dênis começa a argumentar por que não podemos sair roubando capivara alheia e eu me viro pra Nick e começamos a armar um plano. Comento que a propriedade parece ter uns cem hectares, e acho que as capivaras ficariam numa área mais próxima da água nascente. E dá pra ouvir tanto um riacho quanto um córrego, talvez conectados. Nick me olha de cima a baixo.

— Eu sabia que te trazer teria alguma utilidade.

— ... além do mais, podem investigar, e olha a quantidade de lixo no caminho — conclui Dênis. — Tem o DNA da Vanessa no meio! Vocês não querem que a Vanessa vá presa, né?

Vanessa sorri e dá de ombros.

— Acho que é um custo a se pagar por uma capivara — ela diz.

Rimos todos. Se eu pudesse estabilizar meu próprio peso, eu a pegaria nos braços e a ergueria nos meus ombros. Genial.

— É o preço, Binho — digo.

Todos concordam, quase como se estivessem em uma missa.

Comento com Nick que acho que devemos ir por fora da fazenda, onde com certeza não tem iluminação caso alguém apareça. Aí quando chegarmos perto da casa onde ficam as capivaras, a gente entra. Porque ao entrar na propriedade, tudo fica mais arriscado. E fica mais fácil de sair. Com sorte, a gente acha um arame já partido. Nick sorri em resposta. Contamos o plano. Dênis começa a falar, e Nick o interrompe:

— Se é pra ir e ficar falando, fica aqui. Agora a gente precisa de silêncio.

Vamos todos, um pouco abaixados no gramado alto. Outra vez há silêncio. Mas é o silêncio das vacas antes do abate. É o silêncio logo que nasce um bezerro, de antecipação, de procurar vida. É um silêncio atento. Espero que minha ideia seja boa. Vamos ladeando a propriedade. Tentamos desligar duas das lanternas, só por segurança, só pro caso de um cachorro latir, mas fica escuro demais. Ficamos com duas lanternas, uma comigo e outra com Nick. Um passo depois do outro, agora num gramado. Ouço um sapo coaxar ao fundo.

4 coisas que Zé Luís quer fazer antes do final da noite

4. Confirmar se pelo menos existem capivaras na região. Tudo parecia cada vez mais uma ideia psicodélica. Ele precisava de alguma confirmação. Alguma realidade na qual acreditar.

3. Cagar. Cerveja quente dá muita vontade de cagar.

2. Falar com Amanda. Com ou sem capivara. Contar isso tudo. É. Em todo aquele oceano de supostas capivaras psicodélicas, ela era uma constante. E mesmo que ela não acreditasse, ele tinha que contar. Porque aquela história inteira só aconteceu na vida dele por causa dela. Para provar para ela.

1. Quebrar o nariz de alguém.

ZÉ LUÍS

por volta das duas da manhã

Léo parece achar mais fácil andar de quatro enquanto contornamos a cerca à procura do melhor ponto pra entrar. Nick lidera agachada, seguida por Léo, seguido por Vanessa um pouco abaixada, mas meio preguiçosa. Não dá pra ver muito bem onde estamos ou aonde vamos, mas só me interesso pelo meu objetivo à frente: o safado do Binho, logo atrás de Vanessa. (Prosseguimos.)

Estamos tão perto de achar (ou não) a tal capivara que não duvido de mais nada. Agora torço pra que nem tenha uma capivara, pra poder bater nele até sair sangue. Acho que nunca participei de uma briga tão pesada, mas tudo tem uma primeira vez. (Prosseguimos.)

Léo agora está sentado na grama, mexendo em um arame. Fazem xiu de novo quando Dênis e eu nos aproximamos. Nick, Vanessa e ele têm um sorriso imenso no rosto.

— A gente achou — Nick sussurra pra mim.

Vanessa ainda olha pra dentro, apontando a lanterna. Como não tenho uma lanterna, acredito. Preciso acreditar em alguma coisa. Fico entre Vanessa e Dênis e tento enxergar adiante, mas vejo uma espécie de muro. Não sei o que é. Há um som de água corrente em algum canto. O cheiro de capivara com certeza está presente. Como uma gaiola de hamster, só que em tamanho real. Quer dizer, o tamanho real no sentido de que uma pessoa poderia caber dentro dela. Olho Léo trabalhando e noto que ele usa um canivete que roubou do pai muito tempo atrás.

"Ele nunca usa", ele reclamou na época.

É um canivete tipo suíço, com um bilhão de coisas tipo abridor de lata, lixa de unha, tesoura e chave Phillips. É "tipo suíço" porque é bem brasileiro: está escrito "Gramoxone" em um lado. No outro, diz: “O herbicida multiuso (uso agrícola, venda sob receituário)”. Não sei qual tipo de lâmina ele optou por usar nem por quê. Sei que Dênis está ao meu lado, interessado em morder o lábio e olhar pra dentro.

— Procurando a Capi? — sussurro pra ele.

Ele responde com o indicador sobre a boca. Dou uma risada silenciosa.

Terminam de abrir um buraco com tamanho suficiente pra passar agachado. Nick deixa sua mochila (nossas provisões agora se resumem ao conteúdo da mochila de Nick, uns bolinhos, uma garrafa de cachaça, alguns salgadinhos, bombons e Coca-Cola) ao lado da passagem. Léo deixa a garrafa de vodca pela metade do outro lado da cerca, usando-a como apoio pro arame. Vamos devagar, um por um: Nick, Léo (com ajuda dos dois lados de Nick e Vanessa), Vanessa (a menor), Dênis e eu por último. Todos os joelhos estão com algum nível de sujeira, umidade, grama e terra. Ficamos em pé, olhamos ao redor. Agora, oficialmente, estamos invadindo propriedade privada. Agora, oficialmente, estamos cometendo um crime. É uma boa noite.

Vamos pela lateral de uma casa que parece diferente da casa da entrada. Não tenho certeza porque não vi direito nem a casa da entrada nem essa. Começo a preencher as ideias com tudo que acho que é, ou como deveria ser. O cheiro fica mais forte, e a umidade no chão também. Caminhamos entre moitas e arvorezinhas e arvorezonas (não dá pra ver qual é qual, mas sugeriria um limoeiro e um pequizeiro). Não sei bem de onde tiraram que dava pra ver as capivaras. Entraram numa ideia psicodélica que nem essa de ir atrás de capivaras. Quando estou prestes a reclamar, estamos em outro cercadinho, este de madeira, de frente pra uma área fedorenta. Não dá pra ver, mas tem capivaras ali.

Vigio Binho de canto de olho e me aproximo da fonte de luz da lanterna. Fico bem atrás de Nick. Ela está iluminando ao redor das capivaras e contando em voz baixa:

— ... doze... treze. Catorze. É. Catorze bichinhas.

Nick tem um sorriso que acho que nunca vi. Léo também, além de claramente invadir o espaço pessoal da Vanessa. Sei que não é a bebedeira, porque, desde que passamos a placa indicando a direção da fazenda, ninguém bebe ou fala muito. Vejo Binho se juntar a nós e olhar as capivaras atrás de Nick. Sorrio pra todos, não porque eu controle, mas porque são capivaras. Capivaras são um bom motivo pra sorrir.

Nick aponta a luz da lanterna pra dentro do cercado. É um cercado que cobre uma área que seria suficiente pra montar um apartamento pequeno dentro. Seria suficiente pra montar um campinho de futebol. Suficiente pra colocar um açude no meio, ligado a uma nascente. Tem bastante água. Uns patos também. Uma casa pros patos, uma casa pras capivaras, uma espécie de cocho. É isso que tem. Não vejo merda de nenhum dos bichos, apesar de sentir o cheiro. Legumes atirados em pontos do gramado, raízes jogadas em feno, grãos que não identifico. Talos, muitos talos: espiga de milho, cana, talo de bananeira, muita espiga de milho. Há tufos de mato e moitas. Um pouco de feno em alguns pontos, alguns amontoados de ração de não sei o quê, até porque não consigo olhar por muito tempo.

— É aquela ali! — Dênis diz com uma empolgação que faz todo mundo responder com xiu. O xiu talvez tenha sido mais alto do que o que ele disse.

— Tem certeza? — sussurra Nick.

Os olhos do Dênis brilham vermelhos na noite.

— É ela sim.

— Ela vai reconhecer você?

Ele faz que não com a cabeça, com uma expressão triste. Olhamos pra dentro do cercado de volta. Identificamos a suposta Capi. Parece ter o tamanho de um labrador gordo. Dorme. Todas dormem, juntinhas. É impressionante como parecem porquinhos-da-índia mesmo, amontoadas, a pelagem grossa e espigosa. Separá-la do resto do grupo parece difícil.

Amanda sempre quis um porquinho-da-índia quando era menor, então sempre enchia o saco pra vê-los no único pet shop da cidade, na avenida principal. Nunca ganhou. Agora quero contar pra ela que ela cresceu e nós arranjamos um porquinho-da-índia pra ela, só que grande que nem ela. Meu sorriso aumenta.

Nick se aproxima de mim, gesticulando pra irmos pra longe das capivaras, perto de uma árvore (pequizeiro?). Andamos. Ela me aponta com a luz da lanterna um cachorro deitado na varanda da casa, acordado. O cachorro deve ter acordado quando nós chegamos, mas por algum motivo não latiu ou veio atrás de nós. Não sei se alguém além de Nick notou. Ela gesticula mais do que fala. Quando fala, fala baixo. Explica um plano. Para explicar o plano, aponta as luzes pras pessoas indicadas.

Léo não tem nem condições de correr.

Vanessa é muito pequena e cagona.

Dênis deveria ir pra ajudar a reconhecer o animal.

E ela aponta pra mim e pra ela. Eu fico de testa franzida e falo só com os lábios: "Mas como?". Nick sorri. Aponta com a lanterna o espaço das capivaras. Há um carrinho de mão de metal cheio de feno. Está imundo. Nick gesticula para derrubar o feno. Gesticula para botar a capivara no carrinho de mão. Ela faz o gesto de correr. Não respondo.

Quando nos aproximamos do cercado outra vez, Nick tira a gravata punk e a coloca no bolso. Fez bem, porque já estava bem suja, e devia ser do pai dela ou algo assim. Parecia um material caro.

Vanessa começa a ajudar Léo a voltar pelo caminho que percorremos. Ela usa a segunda lanterna. Temos só uma lanterna, e somos liderados por Nick.

Apesar de rápido, tudo parece se desenrolar em câmera lenta na minha mente.

Vejo tudo como um desastre prestes a acontecer.

Uma explosão de filme de ação.

Tudo lento.

Nick abrindo o portão.

Dênis e eu indo até o grupo de capivaras.

Nick correndo pro monte de feno.

Nick derrubando o feno pro lado.

Eu e Binho contornando as capivaras amontoadas.

Algumas capivaras acordando.

Tudo devagar.

Nick mexendo no feno e terminando de esvaziar o carrinho de mão.

Binho apontando Capi.

Nick correndo até nós.

Os latidos do cachorro ecoando.

Binho e eu pegando Capi.

Um monte de capivaras-porquinhos-da-índia acordadas-no--susto acordando.

Um monte de capivaras latindo seus gritos e saltando, como coelhos.

Nick chegando até nós.

Dênis e eu tentando segurar o coelho gigante se retorcendo que é Capi.

Capi nos escapando por um instante.

Nick chegando ao nosso lado.

Nós pegando Capi de volta no amontoado de agitação.

O cachorro ao lado do cercado, latindo.

Nick colocando a gravata ao redor do pescoço de Capi e dando um nó.

Meu coração batendo com mais força do que nunca.

Nós colocando Capi no carrinho de mão.

Luzes se acendendo na casa.

Tudo em um tempo dilatado.

Eu com a certeza de que vou morrer.

Eu empurrando um carrinho de mão com uma capivara engravatada.

Nick na frente abrindo caminho.

Capi latindo seu grito estranho.

Nós correndo.

Dênis ao meu lado, garantindo que Capi fique dentro do carrinho de mão.

O cachorro latindo seu latido padrão de cachorro.

Nós corremos. Rápido. Muito rápido. Alcançamos Vanessa e Léo, que quase rastejam rumo ao buraco na cerca. Empurro Léo com o carrinho de mão sem querer, e ele cai pra dentro. Meus braços ardem. Mais de um cachorro começa a latir no fundo. Léo e a capivara disputam espaço no carrinho, enquanto Dênis tenta coordenar os dois. Eu me apresso mais. Divido o peso do carrinho com Dênis. Nick está do outro lado do buraco no arame nos apressando, a mochila nas costas. Vanessa se adianta e chega. Passa. Já dá pra ouvir vozes humanas, dois homens. Solto o carrinho e deixo o peso pra Dênis. Passo pelo buraco numa mescla de me arrastando com deslizando. Então Léo pega Capi no colo e a passa pelo buraco. Ela se agita, mas Nick a agarra de novo. Sinto o calor de luzes de holofotes se acenderem pelo jardim atrás de nós. Léo engatinha pra fora. Dênis começa a tentar passar com o carrinho de mão, e nós reclamamos que ele deixe tudo ali. Dizemos que já está deixando uma puta trilha, que não vai passar, que abrir espaço pra ele só ia perder tempo. Enquanto Dênis passa, Nick segura Capi no colo. Corremos. Léo ainda manca e vamos passando a capivara de colo em colo, por causa do peso.

— Eu... não... sabia... que... capivara... fazia... barulho — digo sem ar em uma de nossas paradas.

— Qual será o verbo? — diz Vanessa, apoiada numa árvore. — Pra cachorro é latir, pra gato é miar. Pra capivara...?

Léo nos alcança e voltamos a correr. Capi vai de Nick pra Dênis.

Dênis a carrega como se fosse um bebê, as patas pra cima e a barriga à mostra. De Dênis pra mim, que não aguento por muito tempo. Ela se agita e não consigo controlar. Passo pra Vanessa, que a agarra com força e corre com velocidade. Ela seria uma boa jogadora de algum esporte desses que precise cobrir grandes áreas com uma bola. Basquete? Futebol americano? Quando chegamos a um lugar um pouco mais fechado de árvores, paramos. Ao pousar Capi no chão, Nick se senta e ofega. Entre respiradas bruscas, ela diz:

— Agora não dá pra falar mais...

A capivara para e observa ao redor. Ela quer fugir, mas o nó foi bem feito. Seguramos como se fosse uma coleira. Nick se abaixa e tenta impedi-la de correr. Dênis se joga em cima dela e a abraça, como se abraçasse... bom, como se abraçasse uma capivara agitada querendo fugir. Estamos olhando Dênis se sujar no chão e cansar Capi quando Léo nos alcança. Ele senta no chão e respira pela boca.

— Filho... da... — Ele para pra respirar. — ... Da... puta... que... — Ele para outra vez. Inspira, expira, seu corpo inteiro se sacode. — Pariu...

— Quem? — diz Nick, sentada no chão.

Léo estende a mão, pedindo um minuto pra responder. Ele fica respirando, o peito sobe e desce.

— Todo... todo... mundo.

Os que ainda têm pulmão riem. Nós nos sentamos no chão. Acendemos as três lanternas. Não devemos estar muito perto, mas não estamos muito longe, em especial se nos procurarem de carro. Mas achar nossa trilha deve ser fácil. Os latidos dos cachorros parecem distantes, mas ainda se ouvem. Nick abriu a mochila e come balas de goma, passando de mão em mão. Quando o pacote chega em Dênis, ele come umas e depois enche a mão. Criticamos que ele vai tentar dar doce pra capivara, e é óbvio que vai dar errado, mas ele só faz xiu.

— Apreciem o mestre... — ele diz sorrindo.

A capivara enfia a cara na mão de Dênis e come as jujubas. Não sei se faz bem, mas pelo menos ela se acalma.

O som de um tiro de espingarda ecoa pelo mato onde estamos. Parece que tem mais cachorros latindo do que antes. Respiramos um pouco. As partes do meu corpo que não estão cobertas de suor estão cobertas de sujeira. Nós nos entreolhamos. Comemos mais umas balinhas cada um.

3 coisas que Léo queria que estivessem na mochila de Nick

3. Um Gelol. Ou uma almofadinha. Um fisioterapeuta, talvez. Talvez uma daquelas cadeiras de roda motorizadas.

2. Um carro funcionando.

1. Um lugar silencioso pra ele e Nessa. Pra eles conversarem.

por volta das três da manhã

A gente avança pra dentro do mato, no meu ritmo e no de Capi. O terreno é mais irregular, o que me deixa mais lento ainda, o que é mais vergonhoso ainda. Não tenho como fingir que não sinto uma dor que vem de trás do meu joelho, sobe a coxa e entra pela minha coluna até a cervical e me faz parar por inteiro. Se ponho menos peso na perna, melhora, mas ainda assim.

— Nada de sinal? — pergunta Nick.

— Aqui mesmo que não — digo depois de conferir.

Enquanto andamos, Nick rasga um pedaço da calça jeans com o meu canivete e cria uma extensão pra coleira-de-gravata de Capi. A pequena parou de ir contra nossa vontade, ou a favor. Ela só anda, lado a lado. De quando em quando, damos umas balinhas pra ela, o que parece dar mais disposição. Ou física ou psicológica.

— Qual é a psicologia de uma capivara? — digo.

Me ignoram.

Dênis, que puxa Capi pela extensão, se vira pra responder. Ele me olha, enquanto Zé Luís e Vanessa passam por ele. Zé Luís para ao seu lado. Dênis se vira de volta. Andam.

— Ah, sério? — digo.

Preciso me distrair. Pra não doer. Pelo amor de Deus.

— Léo — diz Nick, andando. — Só você que não vai ter problemas com a lei e que não precisa puxar uma capivara por um retalho de calça jeans se preocupa com isso.

— Por que eu não vou ter "problemas com a lei"? — Faço aspas com os dedos.

— Ah, te fode — ela responde.

Ela respira pela boca. Tento olhar o sinal do celular outra vez.

Enquanto caminhamos, alternamos entre quem fica com a corda. Eu sou isento, Zé Luís carrega a capivara nos braços com pose de gorila, e Dênis é o que mais se voluntaria. Quando é a vez de Vanessa, ela carrega a bichinha nos braços um tempo e depois coloca Capi no chão.

— Como se sabe que uma capivara é fêmea? — digo. — Essa não é pergunta de gente "sem problemas com a lei". — Faço as aspas de novo. — É sério. Ô, Dênis, como você sabe que é *a* Capi e não *o* Capi?

— É que nem galinha. — Ele respira pesado. — Só um macho por grupo.

— Mas isso não responde a pergunta. Como você sabe que a Capi é uma galinha e não um galo?

— Olha, é uma questão fisiológica, de ver...

— Alguém tem a menor ideia de onde a gente tá? — Vanessa interrompe.

Todos nós paramos. Eu despenco no chão. Capi, que está sob o cuidado de Zé Luís, fuça o chão, que já vinha fuçando. Dênis se abaixa pra fazer carinho na capivara. Nick se aproxima de mim e me dá chutes laterais.

— Não se empolga não.

Então Nick se vira pra Vanessa, ajeitando a calça rasgada pra dentro do coturno.

— Tenho uma ideia muito vaga.

Ela abre o mapa e aponta a lanterna pra ele.

— Eu acho que estamos indo pra longe da fazenda — diz Zé Luís. — Pra longe da cidade, por consequência.

— Então a gente tá entrando ainda mais no mato? — pergunto.

— Eu acho que sim. — Nick faz uma careta, olha pra baixo, pra mim: — Nada de sinal?

— Acabei de olhar — digo.

— Olha de novo, caralho. — Nick senta no chão, suspirando.

Dênis, que já estava agachado, termina de sentar no chão. Zé Luís também senta, seguido de Vanessa. Nick começa a mexer na mochila. Olho o celular de novo. Nenhuma barrinha.

— A gente poderia comemorar um pouco, eu acho — digo.

Sentados, a gente poderia comemorar sentados. A gente poderia ficar sentado um pouquinho, independente do sentimento geral. É.

— Comemorar o quê? — Nick abre um sorriso. — A gente pode muito bem estar entrando em outro terreno privado, se metendo em mais problema ainda.

Ficamos olhando pra Capi, que se deitou amontoadinha. Parece uma bolinha. Vanessa estende a mão e faz carinho nela. Todos fazemos carinho nela, o que faz com que ela se sacuda, como um cachorro molhado. Paramos.

— Ela pode ter algum carrapato, alguma doença. — Zé Luís ainda segura a guia.

— Não fala assim da minha capivara — diz Dênis.

— Ué, nada garante que essa é a sua capivara — digo.

Nick olha o grupo e abre a mochila. Passa uma lata de Itaipava pra mim e outra pra Zé Luís.

— Dividam. — Ela pega uma lata pra si. — A gente não tem muito mais.

— A gente conseguiu beber tudo aquilo? — Abro minha lata.

— Não quis abrir a cachaça. — Ela toma um gole.

Enquanto todos se movimentam em relação à bebida, Zé Luís faz uma poça de cerveja pra Capi. Dênis congelou na conversa anterior e ainda me encara com dureza.

— Eu conheço a minha capivara, Léo. Essa é a Capi.

— E a gente te conhece. — Faço uma careta pra cerveja quente. — A gente pode ter roubado uma capivara do pobre Renato, pura e simplesmente.

Zé Luís estende a própria cerveja pra Dênis.

— Não a *sua* capivara, entendeu? É *uma* capivara.

Nick arrota.

— Porque você nunca teve uma capivara.

Dênis cruza os braços. Zé Luís observa se Capi quis beber a cerveja. Não quis ou não viu. Ela também parece cansada. É bom ter alguém no meu time.

— Será que a Capi se machucou?

— Cala a boca, Léo — diz Dênis. — Eu que me preocupo com isso.

Solto um suspiro, fico quieto tomando minha cerveja. Vanessa está sentada entre mim e Nick, e olha pra nós dois, de um pro outro. Ofereço cerveja, ela responde pegando a lata na minha mão e bebendo. A careta dela é pior que a minha. Rimos entre nós.

Nick abre um pacote de Trakinas. Estamos sentados num círculo. Dividimos a comida entre nós e Capi. Ficamos parados ali. Não sei se é uma celebração, mas não quero perguntar. Não é só meu joelho que dói. Minhas panturrilhas doem. Tem uma pontada na minha barriga de vez em quando. Minhas coxas queimam em partes que parecem aleatórias. As queimações são diferentes entre uma perna e outra.

— Naquela bagunça… — diz Zé Luís.

— O quê? — digo.

Isso. Isso. Vamos falar.

— Na bagunça de pegar a Capi, de ela fugir e sair correndo… — ele olha pra Capi. — Eu não sei se essa é a capivara que o Dênis apontou.

— Você tá de brincadeira — diz Dênis.

Pela primeira vez na noite inteira, ele tem raiva de qualquer coisa. O que eu não esperava. Mas isso aí. Me distraiam.

— Eu não sei! — diz Zé Luís. — Você tem certeza que é essa? Tava escuro…

— Eu tenho certeza. — Dênis rouba a cerveja de Zé Luís e toma um gole grande demais.

Cerveja e baba caem pelo seu queixo, na calça, na terra. Cheiro de cerveja, que já invadia aquela área, impregna tudo. Inspiro. O cheiro de cerveja parece que também embebeda as pessoas. Vanessa pega minha cerveja de novo. Sorrimos entre nós.

— Tá tudo errado aqui — diz Zé Luís.

— E tudo certo — digo.

— Pra você — diz Nick, e me joga uma Trakinas na cara. — Pra *você* tá tudo certo.

— Na verdade, acho que meus pais e a Carol vão se matar enquanto discutem quem vai me matar.

— E o Zé Luís pode perder a bolsa dele — diz Nick.

— Se essa cagada aconteceu por minha causa — digo —, eles vão pagar até o Zé Luís se formar, só pela culpa.

— Mas ele *veio junto* pra cá, animal — a voz de Nick está cada vez mais alta. — A Nessinha nem tem amigos direito, você acha que os avós dela vão confiar agora em qualquer um na cidade? — Ela aponta pra Vanessa.

Vanessa começa a murmurar baixo:

— Na verdade, acho que eles...

— Não fala pelas pessoas! — interrompo. — Você acha que sabe o que o Zé Luís tá pensando? Sabe o que a Vanessa tá pensando? — grito.

— Eu só acho que as pessoas merecem...

— Você acha que sabe — interrompo — o que eu, o que o Dênis tá pensando? Vai falar por todo mundo? Que arrogância do caralho!

— Arrogância? Você vai me falar de arrogância? — Ela dá uma gargalhada teatral.

— Não conhecia essa sua veia de atriz — digo.

Ela chuta terra na minha direção.

— Veia de ator tem você, que finge que é amiguinho de todo mundo, que finge que gosta muito da cidade. Mas tá lá, com trocentos hectares de... de... sei lá, de soja, de milho, de...

— ... sorgo... — digo.

— De sorgo! Criando comida pra vaca comer!

— Mas a gente come as vacas!

— Sim, mas a cidade precisa trazer cenoura de Brasília. Cê não pensa nos danos dessa cadeia?

Ela está numa batalha pra falar mais baixo e devagar.

— Mas de que porra de sorgo cê tá falando, Nicole?

— No custo ambiental de produzir comida de vaca, pra vaca, tudo vaca, vaca!

— E eu com isso?

— Por que você não planta cenoura? Pra sua cidade?

Aí eu preciso levantar. Capengo pra ficar em pé. Respiro.

— Porque aí eu ganho mais dinheiro — digo.

— Finalmente!

— Porque aí quando eu ganho mais dinheiro, eu injeto mais dinheiro na *minha* cidade.

Ela começa a bufar.

— Tá aí a veia de ator — ela ainda fala baixo, olhando pro chão. — Tem um custo em trazer isso de outros lugares. As pessoas comem tudo com agrotóxico, transgênico...

— Mas agora o outro cara tem dinheiro pra fazer uma plantação de cenoura! — Eu não consigo controlar meus gestos, sei que pareço um polvo com sarna de tanto que me mexo. — Faz cenoura orgânica pra enfiar no cu se ele quiser!

— Ah, claro! — Apesar de falar baixo, Nick ainda bate muito os pés, como um cavalo irritado tentando dar pra trás. — Ele vai conseguir ser orgânico com uns aviões que passam com agrotóxico pelo resto das terras. O avião que faz mal até pra quem tá de carro. Esse avião vai parar bem ali no quadradinho da fazenda do Zé das Couves...

— Ele pode não querer comida orgânica! — digo. — É isso que eu tô falando! Ele pode querer uma cenoura que dura mais!

— Você não sabe do que tá falando! — a voz dela se eleva um pouco.

— E você acha que sabe tudo dos outros, pelos outros! Arrogante!

— Você! — ela grita. — Caralho, Leopoldo!

A frase ecoa pelo silêncio.

Talvez não tenha ninguém atrás de nós. Talvez o tiro fosse só o medo de terem roubado algo de valor. Mas foi uma capivara que não tinha nem valor pra estudo. Minha voz para de ecoar, Nick está com o rosto enrijecido, como se fosse precisar de um pé de cabra pra desfazer aquela testa franzida. Ela se levanta, inspirando alto. Ela fala com a voz bem baixa:

— Eu... não vou... foder mais... tudo pra todo mundo. — Ela pausa, inspira e expira. — Eu... — ela pausa. — Eu preciso... parar e me controlar... pra não gritar... mais com você, Leopoldo — começa a dar uns passos pra trás —, eu... já volto. Não fujam.

Todo mundo sabe o que quer dizer quando uma pessoa que se chama Leopoldo é chamada de Leopoldo.

Nick se afasta alguns passos com uma lanterna. A trilha de luz permite que a gente saiba onde ela está, mas vemos que se distancia. Sento de volta e pego a cerveja que estava com Vanessa. Ficamos quietos. Capi está sentada de novo, atenta, olhando pros lados. Em algum momento, se remexeu e tentou fugir. Dênis se deitou no chão sujo de terra e barro de cerveja e faz carinho nela.

— Pronto, pronto... — ele murmura.

Zé Luís passa a corda de Capi pro Dênis deitado, se levanta e corre atrás de Nick.

— Cara, eu não acho que... — começo, e Zé Luís me mostra um dedo do meio. Suspiro. Me viro pra Dênis e Vanessa: — Só ia dizer que se separar não era uma boa ideia. Só isso.

Dênis dá doces pra Capi, tentando acalmá-la, fazendo carinho e falando em voz baixa. Vanessa risca o chão com um graveto. Olho pra ela.

— O que você tá desenhando aí?

Ela sorri.

— Não olha, tá feio.

— Não tentei olhar. Só perguntei o que era.

— Você não quer saber. — Ela começa a rabiscar por cima.

— Quero sim.

— Ninguém quer saber o que os quietinhos estão fazendo. Ou pensando. Os pensamentos bizarros de violência. O fim do mundo com um meteoro.

— Credo. — Tento espiar o desenho sozinho.

Ela vira o corpo e me empurra de leve, dizendo:

— Deixa o desenho.

— É. — Olho para a frente. — Os quietinhos são os piores.

— Por isso que ficam quietinhos.

Ela sorri pra mim e rabisca mais em cima do desenho que tinha feito. Faço um beiço teatral pro desenho que nunca vou conhecer. Ela balança a cabeça. Me aproximo mais dela. Olhamos pra Dênis e Capi.

Fico em silêncio. Fico olhando pros lados. Olho de Dênis pra Capi engravatada, pras árvores do lado dele. Penso em Renato. Penso nos animais no curso de veterinária. Penso em todas as vacas cujo leite já tomei. Os queijos. Os requeijões. Os cremes de leite. Os churrascos. Agora é minha vez de ter uma testa franzida por tempo demais, que precisa de um pé de cabra pra aliviar.

— Eu não sei o que dizer — digo.

— Mas precisa dizer que não sabe o que dizer.

— É porque eu não sou *quietinho*.

Ela ri.

— Da onde você sabe essas coisas? — digo. — Você, toda voz baixa, quietinha, do interior...

— Vocês são do interior — ela interrompe. — Porto Alegre tem um milhão e meio de habitantes. Só na cidade.

— Ah, é.

— Vocês que tão no fim do mundo.

— Ah, não é tão fim do mundo...

— Pelo amor de Deus. Tem *dois* restaurantes.

— E um monte de boteco!

— Aí já não me interessa. — Ela sorri e bebe minha cerveja.

— Você já tinha tomado cerveja antes?

Ela faz uma careta.

— Não é da sua conta.

Fico olhando pra ela. Por um instante, Vanessa está tranquila. Talvez seja a cerveja, talvez seja a minha bebedeira. Talvez seja ter roubado uma capivara. Talvez seja o fato de que ela tem um hamster agitado e nervoso como ela, então se sente menos só. Mais tranquila. Talvez seja o fato de que já estamos há tantas horas juntos. Olho o relógio.

— Já passam das três.

— Dá pra ver no céu — ela diz.

O céu não está tão profundamente escuro. Só um escuro padrão. Ainda precisamos das lanternas. Mas o céu anuncia que uma hora o sol vai nascer. Azul. Existe um sol. E ele vai nascer. E o sol é uma estrela. Me rendi a pensamentos e papos de estrela. Olho pra ela. Talvez seja a luz chegando.

Ouvimos um barulho numa árvore. Dênis e Capi se viram de imediato. Barulhos de pássaros ou o que quer que tenha por ali.

Uma fruta cai pesada. Eu cogito levantar, mas Zé Luís está do lado do tronco. Ele acena pra nós, pro pequeno facho de luz que somos nós. Aceno de volta. Nick subiu na árvore e aponta a luz da lanterna pra todos os lados. Penso em dizer pra ela parar com essa ideia idiota, porque ela parece um farol, mas olho pra Vanessa. Fico quieto.

Ela desce e volta até nós. Ela senta. Zé Luís senta ao seu lado.

— Melhor? — pergunto.

— Cê não me provoca, seu cuzão. — Ela aponta o dedo pra mim.

Vanessa se inclina de lado.

— Já os quietinhos...

Baixo a cabeça rindo. Nick volta a trabalhar na lata de cerveja que tinha deixado no chão. Zé Luís imita. Conversam em voz baixa sobre onde estamos e pra onde vamos. Não chamam nenhum dos outros. Não devem saber merda nenhuma de merda nenhuma. Mas querem excluir, porque não estão feridos por nada. Confiro o sinal do celular por hábito. Nada.

— Tá frio, né? — diz Dênis.

— Couro de capincho é bem bom pra esquentar — diz Vanessa.

— Capincho? — digo.

— Os gaudérios chamam... — ela baixa a voz — ... de capincho.

— Tô achando que seu pai tinha uma fazenda de gado.

Ela ri. Passo meu braço ao redor dela. Vanessa fica, apoia a cabeça em mim. Fecha os olhos de leve. Um galo canta ao longe, o que gera latidos de um cachorro. Vanessa e eu ficamos quietinhos. O cheiro de cerveja e capivara se mistura no ar.

As 2 coisas que mais irritam Nick neste momento

2. A lentidão dos passos mancos de Léo.

1. Léo.

NICK

por volta das quatro da manhã

— A gente tem que seguir esse galo — digo.

— Mas será o benedito… — resmunga Léo, porque ele só resmunga. — A gente nem sabe onde tá o bicho.

— Veio de lá. — Aponto.

— Nick, não, Nick — diz Léo. — Esse é o sentido oposto do que a gente veio.

Faço uma careta pra ele. Tenho certeza de que é o sentido certo. Levanto.

— Vamos, deve ser o galo daquela primeira fazenda.

Ouço mais resmungos, de Dênis, de Léo, de Zé Luís, até de Vanessa. Se a capivara falasse, resmungaria também. Oi. Ela está de olhos fechados, aninhada, e Dênis está em torno dela, aninhando-a. Olho pra Vanessa, implorando qualquer coisa. Qualquer coisa. Ela suspira e levanta. Faço uma festinha, aplaudo de leve.

Avançamos um pouco no que acho que é a direção do galo. Quero pelo menos sair desta área de mata mais fechada, achar a estrada, quem sabe, conseguir ver um pouco além. Achando a estrada, achamos aquela outra fazenda. Se acharmos aquela outra fazenda, achamos o carro. Achando o carro, seguimos no sentido contrário do carro até ter sinal de celular ou alguma pessoa. E andamos pra civilização. Ou pelo menos eu ando, eles podem esperar com algum conforto, coisa e tal. E se eu estiver errada, vamos achar um galo, e vamos achar outra fazenda e pronto. Nosso grupo é variado o suficiente pra alguém conhecer alguém nessa história toda.

Nós nos movemos devagar. Devagar demais pro meu gosto. Zé Luís ajuda Léo, que agora não anda muito sem ajuda e, ocasionalmente, acaba fazendo trechos pulando num pé só.

— Você não quer ficar parado aí esperando um pouco? A gente te busca depois — digo.

— Ah, vai à merda — ele responde. — Vocês nunca iam me achar de novo.

Suspiro. Seguimos devagar. Mas não é só Léo. Vanessa anda devagar. Capi atrapalha a linearidade de nosso avanço. Ziguezagueando, precisamos parar, precisamos dar uns docinhos pra ela, ela precisa farejar coisas, tenta escapulir de vez em quando. Dênis a segura e parece já ter desvendado os pontos que a acalmam: ou desvendou ou já tinha desvendado. Confesso que, até pra mim, minhas botas parecem pesar mais do que no começo do dia. Ouço outro galo. No sentido oposto ao que vamos. Ou mais para leste do sentido que estamos seguindo. Ignoro. Continuo andando, abrindo caminho entre duas moitas. O galo canta de novo.

— Nick — uma voz atrás de mim diz.

Continuo andando.

— Nick — repete.

Paro.

— Não dá pra fingir que a gente sabe pra onde tá indo — diz Léo.

Porque é claro que foi o Léo.

Fico parada entre as duas moitas. O grupo inteiro está parado. Só quero chegar em casa pra nunca mais falar com nenhum deles. Eles olham pra mim. Capi olha pra mim. Dou passos na direção deles. Sento no chão, bufando.

— Porra.

— Antes um galo que um tiro de espingarda — diz Léo, sentando no chão.

— Como a gente vai sair daqui? — digo.

— Não sei — diz Léo com um bocejo. — Isso tudo foi uma ideia idiota desde o começo.

— Foi sua ideia.

— Na verdade, foi sua. — Ele se espreguiça.

— Foi do Dênis, pra começo de conversa — digo.

— Eu era o que menos queria fazer isso — diz Dênis. — Pra mim, o Zé Luís foi o que mais botou pilha.

Zé Luís está apoiando o tronco numa árvore.

— Ah, claro. Não foi ideia da Vanessa exploradora do cerrado.

Vanessa franze a testa. Olha pros lados. Não diz nada. Noto que está tremendo de frio. Abro um pacote de Ruffles e vou comendo. Todos me olham feio e recusam.

— Comam — digo, mas continuam me encarando feio. — Não é pra fome.

Quando terminam o lanche com sofrimento, encho o pacote de salgadinho com umas folhas. Boto uns outros lixos juntos, uns galhos, tudo que está ao meu alcance. Abro a cachaça e despejo um pouco ali dentro também. Taco tudo no pacote de Ruffles. Pego um isqueiro que sempre carrego comigo não sei bem por quê. Carrego o pacote para o meio de nós e acendo o fogo. Tomo uns goles de cachaça. Arde. Me afasto um pouco. A fogueira de salgadinho solta fumaça demais. Tossimos.

— Mais uma cagada — digo. — Achei que fosse esquentar.

Zé Luís se levanta, anda até o pacote e dá uns chutes no saco, avançando pra longe do círculo, jogando o lixo flamejante pra dentro de uma moita.

— Você parece que fez isso pra nos obrigar a andar.

Ele começa a baixar as calças, de costas pra nós.

— Ei, ei, ei! O que é isso? — grito.

— Tem que apagar o fogo — ele responde.

Já dá pra ouvir o barulho de mijo corrente. Eu levanto e corro até ele, que está com o pinto na mão, só que, ao perceber, o Zé Luís se vira pra me olhar. Isso desvia o jato, fazendo com que todo mundo se afaste e resmungue. Ele bota a calça de novo.

— Já tava acontecendo, sua louca! — ele diz.

— Eu não queria ver seu pinto!

— Ninguém tava vendo o pinto dele — diz Léo.

— Você fica na sua — respondo.

Sinto a raiva subir do fundo do estômago, passar pelo esôfago, vir pela garganta, encher minha boca e sair num jorro quente e amarelo. É vômito laranja com Ruffles, bolo de cenoura, vodca, cerveja, Coca-Cola e amendoim. Fecho a boca, engulo uma parte viscosa, me preparo pra dizer umas verdades pro Zé Luís, e, ao abrir a boca, sai mais vômito. Eu me abaixo.

— Que merda — consigo dizer entre vômitos. — Desculpa — digo, ao ver que vomitei na barra da calça de Zé Luís.

Ele dá uma risada.

— Isso acontece, não se preocupa.

Zé Luís faz uma pausa. Olha pra cima, pro céu que começa a ficar azul cada vez menos marinho.

— Uma vez, eu tinha ajudado minha mãe a limpar uma casa, tava tudo impecável — ele diz, enquanto vomito mais. — Aí fui beber uma cerveja que tinha comprado antes, era sexta-feira e tal…

— Ouço Léo se mexer ao fundo. Continuo meu trabalho. Zé Luís faz carinho nas minhas costas. — Só que eu tava de barriga vazia... Aí vomitei toda a casa! Que tinha acabado de limpar! E a menina com quem eu tava ficando ainda chegou na casa na hora... — Ouço mais folhas ao fundo, talvez seja o vento. Talvez Capi esteja pastando. Zé Luís segura meu cabelo, que eu mal tenho. — Precisou me ajudar a limpar! Acredita nisso? — Ele dá uma risada. Capi pasta mais. — Ficou tudo fedendo a vômito depois... Então... Essas coisas acontecem...

Quando me levanto e limpo a boca, me deparo com Léo. Ele estava atrás de nós, com uma cara curiosa, como um gato ao ver uma luzinha. Zé Luís me estende uma garrafa de Coca-Cola quente.

— Não sei se vai ajudar, mas...

Começo a sacudir a Coca, tentando tirar o gás. Eu a abro de leve e deixo gás e refrigerante saírem um pouco. Perto de mim e Zé Luís, jaz uma série de poças fedorentas de mijo, vômito, salgadinho, folhas meio queimadas e Léo. Léo está ao nosso lado, em pé, olhando, o gatinho encarando o laser.

— Quando que foi isso? — diz Léo.

— Ah — diz Zé Luís, ajudando a me afastar da sujeira. — Faz... Faz tempo. É.

Zé Luís me apoia e andamos um pouco pro lado, voltando pro círculo. Léo nos segue. O fedor nos segue, em especial na calça de Zé Luís. Ele a esfrega com umas folhas.

— Perguntei porque teve uma vez que você passou mal lá em casa, lembra? — diz Léo. — Cê me contou depois que sua mãe tava puta porque cê tinha trazido uma cerveja...

— Não — diz Zé Luís, passando umas folhas na calça.

— Foi sim, foi sim — diz Léo. — E não faz muito.

— Cê tá confundindo com alguma das vezes que você passou mal. — Zé Luís dá uma risada. — Essas foram muitas...

Sento ao lado de Vanessa por causa do cheiro. Ela coloca o braço ao meu redor e me dá um beijo no braço.

— Que vergonha... — murmuro.

Ela ri.

— Pelo menos foi só agora.

Ficamos apoiadas uma na outra. Ela cheira bem, apesar da noite inteira caminhando e do suor. Ela parece adulta, mas ao mesmo tempo igual. Como se tudo estivesse igual, porque está igual, porque ainda é baixinha e de cabelo bagunçado, e claramente nunca fez a sobrancelha, mas ela tivesse crescido, porque não está assustada com vômito, ou animal silvestre, ou um bando de garotos idiotas, ou com medo por nós. Mas ela não cresceu. Nem perdeu a ansiedade. Eu só a entendi de um jeito diferente, acho. E sorrio pra mim mesma.

— Teria sido uma noite legal se fosse de propósito — digo.

Ela ri mais.

Olho pra Dênis, que pegou no sono aninhado com Capi. Zé Luís ainda se limpa, com Léo supervisionando, apesar de nenhum dos dois dizer nada.

— Que garota era essa? — diz Léo.

— Uma garota.

— A Gabi faz um tempão. — Léo cruza os braços. — E vocês nunca ficaram.

— Cê não conheceu.

— Como não conheci?

— Não conheceu, uai.

— Não me vem com "uai".

Zé Luís olha pra Léo, com um olhar que diz "uai". Com um olhar que diz "não acredito que você possa ser tão idiota de achar que conhece toda a população da cidade, uai". Léo continua com os braços cruzados. Agora Zé Luís está em pé, de calças ainda um pouco sujas de terra, de vômito, do próprio mijo.

— A gente se conhece há quanto tempo? — diz Léo.

— Tempo. — Zé Luís sorri.

— Sua mãe trabalhava lá em casa grávida quando eu nasci.

— Grávida de mim.

— É.

— Então... Tempo.

— E em todo esse tempo — diz Léo —, com quantas garotas você ficou que eu não conheci?

Zé Luís fica em silêncio. Estão os dois um de frente pro outro. Léo está com os dois pés no chão. Deve estar doendo um monte. Ele não parece se importar. Deve ser essa coisa de masculinidade, de animais que precisam se enfrentar com chifres na floresta. Animais idiotas, claro.

— Com quantas? — diz Léo.

— Só essa — diz Zé Luís. — Você só não conheceu essa.

— Não conheci porque era a Amanda? — diz Léo.

Até a respiração de Dênis e Capi adormecidos fica mais leve. Mais silenciosa. Vanessa e eu nos olhamos. Empurro o corpo pra trás. Parece estranho dos dois lados. De todas as pessoas com quem a Amanda poderia ficar, ela ficaria com o Zé Luís? E de todas as pessoas com quem o Zé Luís poderia ficar, ele ficaria com a Amanda? Até os grilos e cigarras, que faziam arruaça até dois instantes antes, param. Depois de uma pausa longa demais, uma pausa que denuncia demais, Zé Luís diz:

— A Amanda? Pelo amor de Deus.

— E a história da puta?

— O Dênis inventou essa merda!

— Mas você é mesmo escória, né? Só se aproveitando de tudo!

— Mas eu não fiquei com a Amanda!

— Foi por isso que ela parou de se engraçar com aquele garoto, não foi? O Machado. Ela só falava dele, até que... parou. Só parou!

Zé Luís e Léo olham pro Dênis adormecido. Como se o sono lhe desse passe livre da discussão. Olho pra ele outra vez, o peito subindo e descendo. Não. Eles não acordam Dênis, porque a história da puta não vem ao caso. A da Amanda vem. Há um pouco de fumaça que sobrou do fogo enchendo o espaço que ocupávamos. Eu levanto, vou até eles. Eles continuam.

— Quem sabe a gente não segue andando? — Ponho a mão no ombro do Léo. — Quem sabe a gente não...

— Cê vai se sentar! — diz Léo.

Me afasto, mas fico em pé, parada, apoio o corpo em uma árvore, ao lado de Vanessa. Tem mais fumaça fedorenta, como um queijo fedorento demais sendo frito.

— Mas você sabe o que mais me emputece nessa história? — a voz de Léo surge do nada. — Que você inventou uma história pra contar que perdeu a virgindade.

— Mas o que eu ia dizer?

— Que comeu a minha irmã?

— Eu não comi sua irmã!

Léo para e olha pra ele. Não sei avaliar se ele está prestes a desistir ou a bater no Zé Luís. Ele dá uma volta em torno do próprio eixo, como se procurasse algum lugar pelo qual sair, um buraco entre as árvores, uma porta interdimensional sob a terra vermelha, uma moto escondida pra sair correndo.

— Quem sabe você não para de mentir em algum momento, hein? Só uma ideia.

— Eu não tô mentindo!

Léo se aproxima de uma árvore e apoia a testa no tronco. Parece o Quico, do *Chaves*, prestes a chorar.

— De quem a gente fala mal o tempo inteiro? — diz Léo.

— Como assim?

Léo solta um gemido.

— A gente tá sempre falando mal do Dênis.

— Ah.

— Por que a gente sempre tá falando mal do Dênis?

Zé Luís olha pra baixo, respirando. Eu olho pra Vanessa, que olha pra baixo também. É minha vez de olhar o chão. Não tem nada no chão. Nem um insetinho circula, nada. Ouço, ou acho que ouço, um carro passar ao longe. Devemos estar perto de uma estrada. Talvez eu ouça uma cigarra. Talvez eu só queira ouvir qualquer outra coisa. Dênis e Capi dormem em silêncio. Zé Luís suspira.

— Não é isso — ele diz. — Foi tudo tão rápido, a gente nunca achou que fosse passar de... E tinha os seus pais, a minha mãe! —

Ele pausa e nos encara. Para os olhos sobre Dênis e Capi antes de se voltar. — E eu tava achando que você ia...

— Você achou que depois de todas as cagadas que você já fez ia ser essa que me incomodaria?

— Eu só achei que...

Ele para de falar. Léo o encara.

— Eu só não te dou um soco porque não me equilibro direito.

— Léo...

— Mas cê espera só. Só espera.

— Só não mete minha mãe no meio disso, tá?

— Fico ofendido de você achar que sua mãe teria algo a ver com essa merda sua e da Amanda. Puta merda, a Amanda é foda... — Léo abre o celular e o fecha de imediato.

Zé Luís dá um passo na direção de Léo. Ninguém faz nada. A pessoa que impediria o que sei que vai acontecer seria o próprio Zé Luís. Dênis e Vanessa correriam. Eu apenas tentaria levantar e acalmar a situação.

— Não fala assim dela — diz Zé Luís.

— A irmã é minha. Falo como eu quiser.

— Mas ela é...

— Sua namorada? — Léo diz. Eu me levanto e vou até eles. — Sua ficante? Seu rolo?

Fico mais ou menos entre os dois e digo:

— Agora que todo mundo já descontou raiva de todos os lados, a gente pode tentar achar a...

Zé Luís me empurra.

— Ei! — grito.

Zé Luís se aproxima de Léo e segura o pescoço dele, pressionando com os dedos o maxilar. Léo o encara e tenta desfazer a pegada com as próprias mãos, sem sucesso. O pescoço de Léo está vermelho, enquanto os dedos de Zé Luís aprofundam cada vez mais o aperto. Léo chuta e esperneia, perdendo um pouco do equilíbrio e escorregando pra trás. Não é exatamente como um vilão de anime segurando o mocinho. No que Léo escorrega pra trás, Zé Luís segura com mais força e consigo ver gotículas vermelhas perto das unhas de Zé Luís. Léo o encara enquanto tenta se soltar de novo. Está longe demais. Ele escorrega num formigueiro e, ao perder o equilíbrio, Zé Luís o solta. Léo cai de bunda e fica olhando pra Zé Luís.

— Eu não tô puto por causa da Amanda, tá? — Léo diz de baixo. — Não é isso.

Zé Luís se vira pra mim.

— Onde é que você queria ir mesmo?

O cheiro de fumaça se espalha cada vez mais.

Todos os motivos que tínhamos para voltar para casa

1.

VANESSA

por volta das cinco da manhã

Acho que Zé Luís e Léo vão brigar a qualquer momento. Acho que Nick vai cair no chão e chorar em desespero a qualquer momento. Os únicos do grupo que estavam em paz eram Dênis e Capi, que acordamos pra seguir andando. Ele resmunga.

— Mas andando pra onde?

Argumentam que já está clareando e vai ser fácil achar a estrada. Achando a estrada, se acha o resto. Dênis resmunga enquanto levanta, e Capi se assusta ao ser tocada por Nick, então já se põe de pé.

Nick ajuda Léo a andar, já que Zé Luís teve uma longa discussão com ela sobre aonde estávamos indo. Isso também me deu medo. Andamos um pouco, num sentido que parece ladeira acima. É lomba ou ladeira aqui? De qualquer forma, acho estranho, porque não viemos por nenhum lado ladeira abaixo. Estamos subindo pra uma parte em que não estávamos?

Penso nos braços da minha mãe, na flacidez de quando ela alonga os punhos depois de digitar muito. No bigode branco do meu avô, que sempre tem restos de molho. Nas rugas da minha avó, que mal consegue falar quando quer.

Seguimos andando. Eu fazia academia em Porto Alegre e ainda corro por aqui, apesar do calor desgraçado. Não estou me gabando, mas acho que sou a pessoa que mais treinou do grupo. Posso ser fraca em muitos níveis, mas ao menos resistência física eu tenho. E estou cansada. Cada músculo das minhas pernas e do meu abdome dói, minha panturrilha parece uma costela de boi sendo assada há doze horas. Eu não quero nem imaginar como estão Léo e o resto.

Pra cada passo, tenho um debate mental entre caminhar ou discutir. Discutir também requer energia. Discutir com a Nick requer mais energia ainda. Sou a primeira na nossa fileira indo de porra nenhuma pra lugar nenhum através de uma rota que de vez em quando Nick direciona. Atrás de mim, vêm Zé Luís, Dênis com Capi e, metros depois, Nick e Léo. Até que.

— Nick — eu me viro pra trás —, não dá mais. Eu preciso parar.

Uma discussão se segue. Nick aponta que já saímos de uma boa parte de mato fechado e já estamos em território com árvores mais esparsas, além de dar pra ver a estrada ao longe. Ou ao menos uma planície cada vez mais plana. Zé Luís e Dênis concordam que estão cansados. Por outro lado, Nick não discute com meu cansaço nem com o de ninguém.

Eu me deito na grama áspera. O céu tem um tom bonito de azul-rosado, numa dessas cores que parece anormal na natureza. Errada. Tem um poema do Drummond sobre um leiteiro que toma um tiro, aí a cor do leite se misturando com o sangue é o alvorecer. É uma referência meio besta, mas acho que é culpa da minha mãe. Tudo é culpa da minha mãe. Fecho os olhos, só pra descansar por um instante. Eles ardem.

Acordo num susto. Ninguém notou que dormi e, se notou, não fez nada. Nick está tentando se livrar de tudo que tem na mochila, uns pacotes de amendoim, passando uma garrafa de cachaça e umas Coca--Colas entre todos. Me aproximo do grupo. Eles comem em silêncio, passam a comida e a garrafa com gestos. Alguns pegam a garrafa e jogam o conteúdo no chão mesmo. Se oferecem e o outro não quer, nega com a cabeça. Barulho de mastigação sempre me deu nos nervos.

— Talvez a gente só pudesse ficar aqui — digo. — Quer dizer, alguém vai nos ver aqui, mais cedo ou mais tarde. O terreno é mais aberto.

Olhos se viram pra mim. Há mais barulho de mastigação, barulho de goles. Sei o que cada um quer dizer. Nick quer dizer que vão nos achar com a capivara e ligar os pontos, Zé Luís vai dizer que eu tô exagerando, Dênis vai concordar que poderia tirar uma soneca, Léo vai dizer que aguenta. Mas ninguém diz nada. Os olhos me encaram. As mãos que pegam salgadinho estão sujas. As calças onde descansam a garrafa de cachaça estão sujas, vomitadas, com terra, com a cor do saborizante de uva da vodca. Nem um fio de cabelo está no lugar original. Caio na grama outra vez. Tão áspera quanto antes. Dênis se aninha com Capi, que, deitada, come uma grama do chão.

Entre uma piscada pesada e outra, vejo Léo se aproximar de mim. Como aquelas imagens entrecortadas, a pessoa surge, tudo apaga, ela surge mais perto. Léo se deita ao meu lado olhando pras estrelas.

— Ei — ele diz.

— Ei.

— Como cê tá?

Fico em silêncio. Viro a cabeça e olho pra ver o que os outros estão fazendo. Nick e Dênis estão deitados de olhos fechados ao redor de Capi. Zé Luís anda pelo horizonte, talvez tentando reconhecer terreno, achar uma placa.

— Querendo morrer, só — digo.

— Cê parece cansada.

— É.

Estou olhando as árvores. As árvores do cerrado são tão bonitas. São retorcidas. Deveria ter uma lenda urbana pra essas árvores. Tipo aquelas pra crianças não fazerem caretas, porque vai vir o vento e congelar você assim. Umas árvores retorcidas, que eram pessoas que fizeram alguma maldade. Tipo que perguntaram pra uma pessoa quietinha por que ela é tão quietinha. Vi isso num livro uma vez. E, quando acabam de sorrir por perguntar isso, vem um vento e elas viram uma árvore. Ou pessoas que fazem aqueles hang loose, que ficam enchendo tudo de marra. Não faz muito hang loose que você vira uma árvore retorcida.

— Ei — diz Léo.

— Oi.

— Não fica só com conversas na sua cabeça, não.

— Sendo... *quietinha*.

— Quietinha... Planejando matar todos nós.

— Droga. Meu plano infalível. — A gente sorri.

Aponto pra uma das árvores retorcidas, que parece se estender pros lados, como uma tia que estava vindo abraçar.

— Como chama aquela árvore?

— Qual?

— A retorcida.

— Como assim?

— Aquela ali — aponto pra árvore-tia. Ela parece ser feita de troncos mais finos que se enroscaram e fizeram um tronco só, além dos galhos que se espraiam. Não sei se espraiar é um verbo brasileiro ou só gaúcho mesmo.

— Cê quer dizer todas?

— Todas?

— Todas as árvores são assim aqui. É o terreno.

— Sério?

— Sei lá. Foi o que disseram na escola. O solo tem muito alumínio, faltam minerais, sei lá o quê, aí as árvores precisam crescer diferentes pra sobreviver.

— Achei que você entendesse de plantas.

— Não. Eu planto vaca e crio soja.

Dou uma risada.

— Então — digo —, não é um tipo único de árvore.

— Não. São todas. — Ele olha com um pouco mais de atenção. — Aquela acho que é um pequizeiro, mas sei lá.

— Entendi. Prefiro a minha versão — digo.

— Que versão?

— Ah. Eu não falei em voz alta.

— Do que cê tá falando, Vanessa?

— Deixa pra lá.

Fico em silêncio, olhando pra árvore que se retorceu porque não tinha os nutrientes no solo. Outra árvore parece que foi tomada pelo ritmo ragatanga, mas aí veio O Vento. Sorrio. Árvores são engraçadas.

— Escuta... — diz Léo. — Sobre antes...

— Meu Deus, Léo, você é viciado em conflito. — Tento conter um grito e sussurrar ao mesmo tempo, o que deixa minha voz esganiçada. — Já foi. Eu só quero ir pra casa.

— Entendido.

— Não, não tá entendido. Tu sempre morou nessa cidade aqui, onde todo mundo te conhece e gosta de ti e da tua família. Onde... onde todo mundo fala que nem tu. Eu só quero ir pra essa casa.

— Pra Porto Alegre.

— Eu só não quero me sentir mais estrangeira.

— Em Porto Alegre.

Eu paro. Sem notar, estava mordendo o lábio. Volto a falar.

— Não... Não é porque eu nasci lá que eu... me sinto em casa lá.

— Não sabia que cê tinha morado em outros lugares.

— Não morei. Mas eu queria me sentir confortável, sabe? Queria me sentir como tu parece se sentir quando caminha na rua.

— Como? Morrendo de calor?

Dou um sorriso.

— Não. Tu parece que está constantemente numa festa que te agrada muito, onde tu conhece todos os convidados e é só dar o nome do teu pai que tudo se resolve.

— Por que todo mundo acha que é assim? Meu pai não me enche de mimos, não, viu? Se eu faço merda, ele me senta o cacete.

— Sei, sei, te tira o carro.

— Não — ele se vira de lado pra mim. — Ele me bate mesmo.

— Tu é meio velho pra isso.

— Meu pai também.

Eu me deito de lado. Ficamos deitados no gramado frente a frente.

— Eu não tenho uma boa resposta pra isso — digo.

— É que não precisa ter, eu acho.

— Eu só me sinto desconfortável, como se usasse uma roupa que não fosse do meu tamanho, sabe? E aí quando tento o tamanho maior, ela parece larga demais. Nada encaixa. Nada serve. — Pauso. Continuo: — Nada serve em mais de um sentido. E agora, tu tá aí na minha frente, dizendo que apanha do pai aos dezesseis anos de idade.

— Ele às vezes contrata gente pra bater por ele. Quando tem que cobrar e tal.

— Cobrar dívida?

— Só cobrar mesmo. — Ele sorri, mas parece triste.

— Viu? É isso que eu tô falando! E eu comparando a vida com uma calça jeans tamanho 38! — Uma pontada de dor. Estou mordendo o lábio de novo. Paro. — Desculpa. Tô sendo babaca.

— Na verdade, não — ele diz. — Eu entendo a sensação da calça jeans. Mas nunca usei 38.

Solto uma risada. Ele faz carinho no meu rosto com as mãos imundas. Consigo ver a ferida em seu pescoço, que ainda está um pouco vermelho. Um pouco de sangue escorreu pra gola da camisa. Se ele quisesse, poderia ferrar tanto a vida do Zé Luís, tantas vezes.

— Mas eu entendo — diz ele. — Meio que nem... aquela menina, como chama? Que toma a sopa, e é quente demais. Aí toma a outra, que é fria demais...

— Cachinhos dourados.

— Sim. Mas eu não acho a merda da sopa com a temperatura certa.

— Acho que a gente poderia continuar com essa comparação por dias. — Sorrio. Ele sorri de volta.

A mão dele para, mas descansa no meu pescoço. Ele fede um pouco a suor e capivara, mas eu também. O fedor de fumaça impregna tudo ao nosso redor. Ouço roncos de Dênis e mais um galo cantando.

— É que... — digo — aqui na Chapada tem coisas que parecem querer me expulsar a machadadas.

— Tipo?

— Tipo a senhora do mercado perguntar por que não faço a unha, ou uma colega na escola dizer que quer ir pra faculdade só pra achar marido. — Ele ri, mas fica sério em seguida. Olho pra ele. — Mas tem outras... coisas... que fazem eu me sentir exatamente em casa. O lado mais frio da sopa fervente.

— Tipo? — ele me olha, mas consigo ver que sente sono.

— Tipo tu. — Acho que falei por causa da bebedeira. Merda. — Tu faz eu me sentir em casa.

Ele abre um sorriso e se aproxima de mim. Ele me abraça e eu me aninho no peito dele.

— Isso é casa, entendeu? — digo. — Mas, por outro lado, é minha casa, mas ninguém quer que eu fique na minha casa...

Sinto o peito dele encher de ar e estremecer.

— Eu quero ser a tua casa.

— "Tua". — Dou uma risada. Ele me aperta um pouco. Um apertãozinho.

— Falo sério.

— Ah, sim, porque aí tu vai ser o cara com as duas sopas. A minha e a da tua namorada.

— Mas é sopa ou é namorada?

— Não era calça jeans? — Sinto o peito dele se erguer porque ele ri. — Isso tá ficando confuso, né não?

— Demais. — Ele faz carinho nos fios emaranhados que um dia chamei de cabelo.

— Odeio esse negócio de falar em código. — Fecho os olhos. — Minha família faz isso.

— A minha faz também.

— Mas quando alguém te senta o cacete, isso não é código nenhum.

— Na verdade, pode ser sim.

Dou uma risada porque parece ser a única reação possível. Ele prende os dedos num nó do meu cabelo, mas finge que só resolveu fazer carinho com as duas mãos.

— Então — digo. — Sem códigos.

— Sem códigos.

— Gostei que a gente ficou, mas achei que tu tava tirando com a minha cara.

— Sem códigos: isso é mentira.

— Eu não terminei de falar.

Ele ainda mexe no meu cabelo, agora com as duas mãos, tentando se soltar do nó. Continuo:

— Mas não quero que tu me fale essas coisas, porque sei que tu não vai terminar com a Carolina.

— Como sabe?

— Porque ela foi feita pra ti. Como tudo na tua vida, ela se encaixa com o padrão da família tradicional mineira.

Ele dá uma gargalhada tão alta que faz Zé Luís começar a voltar até nós. Dênis e Nick parecem se mover de leve.

— Família tradicional mineira... — Ele continua rindo. — Aí que tá. Tudo que supostamente se encaixa na minha vida não encaixa bem. Tudo isso é calça jeans e sopa. Essas vacas, essas sojas, essas... essas chapadas.

— Achei que tu gostasse das vacas.

— Eu amo as vacas. É por isso que não se encaixa.

— Com?

— Com matar elas, quer dizer.

— Tua família faz isso há gerações.

— E eu amo churrasco.

— E cês não racionalizaram isso ainda?

— Eu não disse que tenho uma solução pra questão bovina.

Ele me faz carinho. O cabelo está solto de novo, mas agora ele mexe só por fora. Não enfia mais os dedos nos fios. Léo fede, mas eu gosto.

— Eu tenho medo — digo. — Sem código nenhum. Eu tô apavorada.

— Por estar aqui?

— Por tudo. Eu nunca... fiz nada com ninguém. Tenho medo de ser feita de trouxa.

— Eu não vou te fazer de trouxa. Sem código.

— Mas como eu posso confiar em ti? Sem código.

— Olha, sem código, eu preciso que confie. Por mim.

— E a tua namorada?

— Hoje ainda a gente não vai mais estar junto. Prometo.

— Você vai começar com aquele "hoje é amanhã que é ontem porque não virou a noite"?

— Hoje no calendário. Até esse sol — ele olha pra longe — se pôr de novo.

— E tu vai estar junto de quem, daí?

Ele não responde mais. Me deixa ficar ali. Talvez eu tenha fechado os olhos de novo, porque sinto que acordo no susto mais uma vez. Como se estivesse sem ar. Vejo Zé Luís na nossa frente. Ele acendeu uma fogueira feita de galhos, tocos e folhas que tinha catado por ali. A cachaça acabou. É um fogo pequeno, mas queima. Dênis e Nick se sentam em volta do fogo, brincando de jogar coisas nele. Ainda não têm muitas palavras.

— Vi que tem um ponto de ônibus aqui perto — diz Zé Luís. — A gente pode pedir carona, sei lá.

— Sim, com zero dinheiro — diz Nick.

— A gente tá com o menino dos Statto — diz Dênis. — A gente pode cobrar o resgate se quiser.

A gente sorri. Nick começa a reclamar dos privilégios e tudo o mais.

— Olha, Nick — diz Léo. — Se cê quer ter trabalho, pode ir. Mas a gente resgatou uma coisa especial pra um amigo nosso e não merece passar por mais perrengue pra resolver isso.

Olhamos pra Capi e Dênis.

— Amigo — diz Nick.

— Não que eu ache que a Capi é do Dênis mesmo — diz Zé Luís.

— Como assim? — diz Léo.

— Eu acho que a gente roubou uma capivara.

Dênis olha pra ele. Zé Luís continua:

— E se ele disser que não roubamos, que é dele mesmo, eu não vou acreditar. Se ele disser que não era dele, que a gente roubou pra alegria dele, eu não vou acreditar. Eu não vou acreditar.

— Porque tu quer acreditar na história da tua cabeça — digo.

— Todas as histórias só existem na sua cabeça — diz Zé Luís.

— Então tu tá dizendo que não tem como saber?

— A não ser que exista um certificado de posse do Ibama dizendo que cê pode ter uma capivara...

— Na verdade, existe sim — interrompe Dênis.

— E você tem? — Zé Luís ergue as sobrancelhas.

— Ninguém tem. Mas o Ibama emite.

Zé Luís aponta pra Dênis, como quem prova uma evidência. Estou cansada. Não ligo mais pra capivaras ou pra mentiras. Que me deportem de volta pra minha terra, não ligo. Eu não tenho uma terra com palmeiras onde canta bicho nenhum. Apesar disso, ouço um passarinho piar ao longe. O fogo crepita e é um misto de som e cheiro que me agrada.

Nick faz carinho em Capi, e ela deixa. Posso jurar que ouço um carro ao longe, mas pode ser coisa da minha cabeça. Olho pra Léo.

— Então nada fica resolvido.

— Nada nunca fica resolvido — Léo diz, olhando pra mim de volta.

— Pelo menos a gente tá junto — digo.

Léo passa o braço em torno dos meus ombros e me dá um beijo na testa. As pessoas ao nosso redor parecem concordar, mas não pelo mesmo motivo.

— A gente vai continuar junto. — Eu e ele ficamos abraçados.

Tomamos um restinho da Coca-Cola que temos. Comemos as Ana Marias que tínhamos guardado por algum motivo. Parece que algo terminou, mesmo que estejamos no meio de algo. Mas talvez toda história seja um recorte que veio de outra história. Toda história é parte de uma história maior. A gente sempre chega no meio de uma história e sempre sai antes que acabe. Exceto da nossa história, acho eu. Mas, mesmo assim, a minha história é dos meus pais, dos meus amigos, das capivaras que potencialmente roubei. Talvez seja a bebedeira falando. Mas gosto muito de vodca saborizada.

Nick senta ao nosso lado e sorri. Ela tem olheiras, e sua roupa não está mais rasgada numa atitude punk: ela está apenas destroçada. Nick está destroçada. Dênis dá mais doces pra Capi. Reclamamos de fome. Ele dá de ombros.

Zé Luís está sentado na frente do fogo. Léo pede ajuda pra Nick e ela anda até ele. Nick o ajuda a sentar perto de Zé Luís e se afasta, voltando pro meu lado. Ela tem um sorriso grande no rosto.

Eu não quero entreouvir, mas ouço Léo dizendo que quer que os pais dele saibam, se Zé Luís quiser contar.

— E quero estar do teu lado — diz Léo com clareza.

Solto uma risada por causa do "teu". Meu lar é onde se fala "tu" só por hábito.

Léo e Zé Luís continuam conversando. Talvez estejam cansados demais pra serem agressivos. Talvez os dois estejam feridos demais. Talvez tudo.

Ainda há um pouco de cheiro de fumaça pelo mato. Numa ideia esquisita dessas que se tem antes de dormir, imagino que colocamos fogo no cerrado inteiro. Mas me disseram que certas frutas do cerrado precisam ser queimadas pra então liberar a semente. Elas evoluíram pra um cerrado que pega fogo com frequência, desde o começo dos tempos, de antes das pessoas. E se adaptaram a isso. Travessia.

Nick e eu apoiamos as costas na grama. Nick me olha e, das profundezas das olheiras, há um brilho esquisito. Como se fossem os olhos avermelhados de Binho. Sorrio de volta. Descanso os olhos outra vez.

Sons de folhas ao vento fazem sentido com a sensação de vento na cara. O cheiro de fogo continua entre nós. Nick ainda fede a mijo e vômito. Um começo de calor do sol esquenta meu rosto. Ainda ouço vozes baixas de Zé Luís e Léo, enquanto Dênis ronca pela primeira vez de fato na noite. Ouço Capi roer alguma coisa perto de nós. Minha cara e minhas mãos estão grudentas e quero muito passar muita água no rosto. Com um suspiro, talvez eu tenha pegado no sono de novo. Outro galo canta.

Agradecimentos

Agradeço a Bárbara Morais, Dayse Dantas, Diana Passy, Iris Figueiredo, Mareska Cruz e Taissa Reis, (fadas) madrinhas deste livro.

Agradeço a Gabriela Tonelli, Nathália Dimambro e Marianna Teixeira Soares, que acreditaram na minha loucura e no poder das capivaras.

Agradeço a Guilherme e Hilda. Agradeço a Queen, Telpe e Varig.

Agradeço a todos que me enviaram capivaras e seus memes antes, durante e depois da escrita deste livro, o qual não existiria sem vocês.

Entrevista com a autora

1. Luisa, antes de mais nada: você passaria uma noite procurando uma capivara fujona?

Depende de com quem.

2. Qual seria o melhor jeito de passar doze horas com seus amigos?

Com filmes ruins. Eu amo ver filmes de terror ruins. Eu passaria fazendo pizza e pipoca e bebendo. Eu gosto muito de cozinhar, então invento uns negócios para comer com o que tem no armário. No verão, obviamente invento uns drinques também. Já fizemos umas maratonas assim com alguns filmes, e eu sempre me divirto demais.

3. Se você pudesse contar uma mentira em que todos acreditariam, o que inventaria?

Antes de inventar alguma coisa, eu gostaria tanto (mas tanto) que as pessoas acreditassem de forma unânime em algumas coisas que já são verdade. Tipo aquecimento global, que eu queria que todo mundo fosse unanimemente contra. Ou tipo que vacinas são necessárias e importantes. Ou o fato de que gatos são os melhores bichos pra abraçar ao dormir.

4. Entre os personagens, qual você acha que seria seu amigo? E com qual acha que não se daria tão bem?

Acho que a Nick ou a Vanessa seriam minhas boas amigas. A Vanessa tem essa coisa tímida então acho que a gente combinaria bem. Aquilo de "ter cuidado com os tímidos", isso é algo que me diziam muito. A gente poderia reclamar dos extrovertidos. E a Nick porque gosta de anime e toda a confusão sexual. Acho que teríamos assunto.

Não seria amiga do Binho. Odeio gente que não é honesta. Pode parecer maluco, mas o problema não é mentir, o problema é a falta de honestidade na relação, sabe? Ele mente porque precisa se sentir melhor que os outros, porque não quer ser vulnerável. Eu de longe não daria tanto crédito pra ele.

5. Se você tivesse uma capivara de estimação, que nome daria para ela?

Luisa Geisler.

6. Como surgiu a ideia do livro, e por que você decidiu acompanhar tantos pontos de vista diferentes?

A ideia do livro surgiu na verdade de uma vontade de escrever sobre capivaras. Estava na Irlanda fazendo mestrado e coloquei "capybara" dentro de um texto. Estava falando da experência brasileira na Irlanda e tudo o mais. Falei de capivaras. Precisei sentar frente a frente com minha orientadora da dissertação (uma senhora irlandesa de cabelos brancos e olhos azuis miúdos, mas muito bem-humorada) e explicar o que era uma capivara. Foi então que percebi que capivaras não eram universais. Eu achei que todo mundo minimamente soubesse o que era uma. Então juntei isso à ideia de que queria fazer algo com um grupo de jovens há um tempo.

7. Por que você escolheu situar essa história no interior de Minas Gerais?

A ideia do interior de Minas Gerais surgiu... depois que conheci o interior de Minas Gerais. A gente tem esse imaginário de autores e textos, por exemplo, da Porto Alegre de João Gilberto Noll, ou do Rio de Janeiro do Machado de Assis. E percebi que eu pessoalmente não tinha um imaginário literário desse cenário de Minas Gerais, esse cenário brasileiro, na verdade. Pelo menos talvez não na literatura contemporânea, no momento bastante urbana. Senti falta dos carros de som com obituários e horários de cinema, das cidades horizontais e sem graça. Ver aquela cidade me deu vontade de ler a respeito dela. Foi um pouco assim com o *Luzes de emergência se acenderão automaticamente*, meu segundo romance, que se passa em Canoas, um subúrbio de Porto Alegre onde nasci e cresci. Lugares me motivam muito. Voa, Canoas.

8. Qual é a sua formação, e quando decidiu que queria ser escritora?

Eu me formei em relações internacionais e na bebida tento esquecer. Essa na verdade é uma piada adaptada do Luis Fernando Verissimo, mas também serve.

E sempre gostei de escrever. Demais, demais, demais. Eu escrevia fanfics quando adolescente, poemas que ninguém nunca leu ou lerá. Acho que sempre quis ser escritora. O surpreendente pra mim foi quando ser escritora vingou, quando ganhei o Prêmio Sesc de Literatura e publiquei meu primeiro livro. Eu achava que ser escritora ia ser o hobby de uma "adulta séria" com interesses de adulto. Acontece que livros tomaram conta de tudo.

9. *Enfim, capivaras* é seu quinto livro publicado, e o primeiro voltado para o público jovem adulto. Por que você decidiu fazer essa mudança, e que diferenças sentiu entre este livro e os anteriores?

Pra mim, foi como uma pessoa que gosta de beijar meninas e meninos descobrir que isso se chama "bissexualidade". Mas o desejo veio antes. A vontade, a inspiração, de escrever veio antes do rótulo. Não existiu uma mudança entre o que eu já escrevia. Existiu um livro que eu queria escrever que, casualmente, calhou em ir pra outro rótulo, tipo "voltado para o público jovem". Mas pra mim não existe um público X ou público Y. São leitores, são inteligentes. Não houve mudança de linguagem, de nada. Nunca pensei muito nisso. Por acaso, é um livro que mercadologicamente se entendeu que agradaria mais o público jovem. Mas eu não decido o marketing. Eu só queria escrever um livro.

10. Se você não fosse escritora, que outra profissão gostaria de ter?

Sabe aquelas pessoas que vão nos programas de televisão com bichos malucos, aí o apresentador do programa fica com medo? Aquelas que têm tipo um filhote desdentado de jaguatirica? Tirando a parte de ir na televisão, adoraria ser tipo isso. Cuidar de algum tipo de ONG de resgate de preguiças na Amazônia. Aquelas

ONGs que protegem os ovos de tartaruga de caçadores. Aquelas pessoas que ensinaram um cachorro vira-lata a dirigir pra incentivar adoções. Ser escritora não é uma profissão interessante.

(Aliás, os cachorros que dirigem são o trabalho de uma caridade neozelandesa chamada SPCA. Eles são muito fofos e têm um canal no YouTube, TheDrivingDogs. De nada.)

11. Se você pudesse mandar uma mensagem para a Luisa de dezesseis anos, o que diria?

Eu diria pra ficar calma que tudo vai dar certo. Eu quando adolescente era muito desesperada, muito imediatista, muito querendo que tudo se desenrolasse na minha frente. As coisas demoram tempo, e descobrir isso demora tempo também. Eu aconselharia a se acalmar mais.

Ah, e a escola é cheia de gente idiota. Eu aconselharia a ignorar todas, porque já já eu não ia precisar mais ver elas. Mas ia poder stalkear no Facebook e ver que seguem idiotas.

12. Que dica você dá para quem quer ser escritor?

Tentar escrever como um leitor e ler como um escritor. Sei que parece uma frase feita, mas juro que faz sentido.

Ler como um escritor é ler tentando decifrar como aquilo foi feito. Quando eu vejo uma bailarina dando uma pirueta, eu penso: “nossa que bonito”. Quando uma bailarina vê outra bailarina, ela enxerga os movimentos que levaram até aquela pirueta. Ela olha a construção dos movimentos. Ler como um escritor é isso. Ler além do texto, tentando entender como se chegou a este ponto.

Escrever como leitor seria pegar justo esta experiência como leitor e escrever melhor. Mesmo textos que você não gostou: por que não gostou? Tentar não fazer igual, ou melhorar. Você ativa o leitor em si. E é importante lembrar que seu leitor só está vendo a pirueta. Escrever como leitor seria lembrar daqueles momentos de impaciência do leitor. Já leu um livro e ficou se perguntando quantas páginas faltavam pra acabar? Já começou a ler e pulou várias frases de tão chato ou repetitivo? Lembre-se de que seu leitor não tem todo o tempo do mundo. Seu leitor não é obrigado a ler o que você escreve. Isso é importante.

13. Para quem gostou de *Enfim, capivaras,* qual de seus outros livros você indicaria como próxima leitura?

Recomendaria o *Luzes de emergência se acenderão automaticamente*. Tem temas parecidos em alguns momentos, os personagens são jovens também. Acima de tudo, as pessoas que já leram *Enfim, capivaras* gostam desse também.

14. E que outros autores você gostaria de indicar para seus leitores?

Douglas Adams acima de tudo. Ele me ensinou coisas que até hoje levo muito a sério (como a importância do humor nos textos).

Além dele, Angie Thomas; Antonio Prata; Caio Fernando Abreu; Celeste Ng; Edgar Allan Poe; John Green; Hank Green; Lemony Snicket (e Daniel Handler também); Raphael Montes, Shirley Jackson e Stephen King (pros mais sanguinários); Ursula K. Le Guin (pra quem curte o mistério todo). Os best-sellers também valem a leitura, pra ver se agradam, mas eu não vou gastar meu precioso espaço nomeando.

Alguns autores mais recentes mas igualmente bons são Antônio Xerxenesky (*As perguntas*, pros fãs de ocultismo); Bruna Beber; Eric Novello; Natalia Borges Polesso; Samir Machado de Machado; Tobias Carvalho; Valeria Luiselli; as crônicas da Vanessa Barbara (que escreve boa ficção, mas as crônicas são de rir alto). Hilda Hilst pros de espírito mais livre. Ah, e leiam Angélica Freitas. Leiam Angélica Freitas, crianças (e adultos).

15. Se as pessoas quiserem te seguir nas redes sociais, onde elas podem te encontrar?

Tenho Instagram e interajo muito por lá, em especial nos Stories. Tem muito dos meus gatos. É @loweeza.

Tenho Twitter, mas dou mais RT que posto coisas. É @luisageisler.

E tem o Facebook, mas eu demoro bastante pra responder por lá. É Luisa Geisler.

Como se nota, sou bem criativa com nomes de usuário.

Se alguém tiver uma dúvida sobre capivaras, sobre escrever ou sobre amigos mentirosos e quiser manter tudo privado, meu e-mail é <luisageisler@gmail.com>. Mais um ponto pela criatividade.

ESTA OBRA FOI COMPOSTA POR OSMANE GARCIA FILHO EM BERLING
E IMPRESSA PELA GRÁFICA BARTIRA EM OFSETE SOBRE PAPEL PÓLEN BOLD
DA SUZANO PAPEL E CELULOSE PARA A EDITORA SCHWARCZ EM JUNHO DE 2019

A marca FSC® é a garantia de que a madeira utilizada na fabricação do papel deste livro provém de florestas que foram gerenciadas de maneira ambientalmente correta, socialmente justa e economicamente viável, além de outras fontes de origem controlada.